Difficultés du français

DANS LA MÊME COLLECTION

Conjugaison française, Librio n° 470
Grammaire française, Librio n° 534
Orthographe française, Librio n° 596
Conjugaison anglaise, Librio n° 558
Grammaire anglaise, Librio n° 601
Vocabulaire anglais courant, Librio n° 643
Conjugaison espagnole, Librio n° 644
Le Calcul, Librio n° 595
Solfège, Librio n° 602

Jean-Pierre Colignon

Difficultés du français

Inédit

AVANT-PROPOS

Ce petit ouvrage traite d'un grand nombre de mots et expressions dont l'orthographe, la prononciation ou la signification peuvent présenter une difficulté pour l'usager de la langue française. Le lecteur trouvera donc ici, par ordre alphabétique, des articles constituant un dictionnaire des difficultés du français contemporain, où sont mentionnés beaucoup de mots usuels ou semi-usuels entraînant ce que l'on appelle des fautes récurrentes, des erreurs commises à répétition, y compris en ce qui concerne des constructions grammaticales...

De multiples exemples et des citations illustrent et complètent ces nombreux articulets nécessairement rédigés sous une forme ramassée mais très claire, dans le cadre de cet ouvrage pratique.

LISTE DES ABRÉVIATIONS

abrév. abréviation
acc. circ. accent circonflexe
adj. adjectif
adj. indéf. adjectif indéfini
adj. num. card. adjectif numéral
    cardinal
adj. num. ord. adjectif numéral
    ordinal
adj. poss. adjectif possessif
adj. relat. adjectif relatif
adv. adverbe, adverbial
auj. aujourd'hui
autref. autrefois
auxil. auxiliaire
comp. composé
compl. complément
contr. contrairement
dér. dérivé
dict. dictionnaire
élém. élément
essent. essentiellement
étym. étymologiquement
expr. expression
fam. familier
fém. féminin
hom. homonyme
impers. impersonnel
ind. indicatif
indéf. indéfini
indir. indirect
interj. interjection
intr. intransitif
invar. invariable

lat. latin
loc. adv. locution adverbiale
loc. conj. locution conjonctive
m. masculin
majusc. majuscule
masc. masculin
minusc. minuscule
n. nom
n. f. nom féminin
n. m. nom masculin
n. pr. nom propre
orthogr. orthographe
parf. parfois
paron. paronyme
part. passé participe passé
part. prés. participe présent
plur. pluriel
prép. préposition
prés. présent
pron. dém. pronom démonstratif
pron. indéf. pronom indéfini
pron. pers. pronom personnel
pronom. pronominal
signif. signification
sing. singulier
subst. substantif
syn. synonyme
touj. toujours
tr. transitif
tr. d'union trait d'union
v. verbe
v. impers. verbe impersonnel
var. variable

A

abhorrer v. tr. Le v. a la même racine qu'*horreur*, n. f. ; de là, l'*h* qui suit le *b* du préfixe ; de là aussi les deux *r*.

abîme n. m. Noter l'acc. circ. sur l'*i* (contr. à *cime* : « l'acc. de *cime* est tombé dans l'*abîme* »).

abjurer v. tr. et intr. Ne pas confondre avec son paronyme **adjurer**, v. tr. *Abjurer*, c'est abandonner publiquement une idée, une croyance, une religion ; par exemple, *Henri IV abjura le protestantisme. Adjurer*, c'est supplier (quelqu'un) : *L'épouse d'un des otages adjura les ravisseurs de lui rendre son mari.*

abricot n. m. usité comme adj. de couleur. Invar. dans cet emploi : *des gilets abricot* (= dont la couleur est semblable à celle de l'abricot).

abrupt adj. et n. m. Le couple *pt* se prononce comme dans *concept, rapt* et *transept*, et comme dans le nom de la ville d'*Apt*.

abscisse n. f. Noter : *sc* derrière le *b*, et deux *s* à la fin.

absentéisme n. m., **absentéiste** adj. et n. Pas de tréma sur l'*i*.

absolu n. m. et adj. Éviter de dire et surtout d'écrire : « le plus absolu », car il n'y a pas de degrés dans l'*absolu* ; ce qui est *absolu* ne saurait l'être plus ou moins.

absorption n. f. Le *p* se substitue au second *b* du v. *absorber*. Ne pas écrire : « asorbtion » ni « apsorption ».

abstentionnisme n. m., **abstentionniste** adj. et n. Deux *n*.

abysse n. m. Noter le genre.

acajou n. m. et adj. L'adj. de couleur est invar. : *de belles teintes acajou* (de la couleur brun rougeâtre de l'acajou). Mais le subst. prend un *s* (et non un « x » !) au plur. : *Deux acajous furent débités sous nos yeux.*

acariâtre adj. Un seul *c* ; acc. circ. sur le dernier *a*.

accaparer v. tr. Deux *c*, ainsi qu'aux dér. • C'est une faute de dire : « Ils se sont accaparés de... » ; les formes correctes sont : « *Ils se sont emparés de...* » ou bien : « *Ils ont accaparé...* »

acception n. f. L'*acception* d'un mot, c'est le sens qu'on lui reconnaît. Ne pas confondre (l'erreur est fréquente) avec **acceptation**, n. f., fait d'accepter. • De même, dans l'expr. juridique *sans acception de personne*, qui veut dire « sans préférence à l'égard de qui que ce soit », ne pas confondre avec *sans exception*.

accident n. m. Il importe de maintenir une différence de gravité entre *accident* et *incident* : *un grave accident, un simple incident de parcours.* (Néanmoins, il arrive qu'un accident soit bénin et... qu'un incident tourne au drame !)

acclimatation n. f., **acclimatement** n. m. Employer le mot juste : l'*acclimatation* consiste, pour les spécialistes, à *acclimater* des espèces exotiques de la faune et surtout de la flore ; l'*acclimatement* consiste, pour tout être vivant, à *s'acclimater*, c'est-à-dire à s'adapter à un nouveau climat.

accolade n. f. Deux *c*, un seul *l*, tout comme au v. tr. *accoler* (alors que *racoler* ne prend qu'un *c*). Ces mots viennent de *col* au sens de cou.

accommoder v. tr. et intr. Deux *c*, deux *m*. • Attention au mot juste pour l'emploi de ses dér. : **accommodation**, n. f., usité surtout en biologie et en ophtalmologie (l'*accommodation de l'œil à de nouvelles lunettes*) ; **accommodement**, n. m., signif. « arrangement sur une querelle, un procès, une question douteuse » (*les accommodements avec le ciel* fait référence à un vers du *Tartuffe* de Molière).

accordéoniste n. Un seul *n*.

accoutumé adj. La loc. *à l'accoutumée* (= comme à l'ordinaire) est touj. au fém. • L'expr. *avoir accoutumé* (= pris l'habitude) *de...* est considérée comme vieillie.

accroche-cœur n. m. L'invariabilité au plur. est tolérée, mais l's final à *cœur* est plus fréquent.

acné n. féminin. Noter le genre : *une acné persistante.*

acolyte n. m. Un seul *c*. Inusité au fém.

acompte n. m. Un seul *c*. (*Payer par acomptes* se met au plur.) • Il faut prendre garde à ne pas confondre *acompte* et *arrhes*,

n. féminin exclusivement plur. L'acompte est un paiement partiel à déduire du paiement total. Les arrhes, elles, sont une somme versée par une des parties concluant un contrat. Elles seront perdues si une des parties rompt le contrat.

à-côté n. m. Prend un *s* au plur. : *les à-côtés du procès.* • Le tr. d'union disparaît dans la loc. *à côté de* : *Céline vit à côté de chez nous.*

à-coup n. m. Prend un *s* au plur. On écrit touj. au plur. : *par à-coups.*

acoustique n. f. Un seul *c.* Une bonne acoustique.

acquis n. m. (part. passé substantivé du v. tr. *acquérir*). *Les acquis de la classe ouvrière,* ses avantages sociaux : *nos acquis,* nos biens, nos droits, nos connaissances. • Adj. : *les choses acquises* (part. passé : *les choses que nous avons acquises*). • Ne pas confondre avec l'hom. **acquit** n. m. qui signif. : quittance, reconnaissance d'un paiement (*pour acquit*). Se souvenir que *acquis* correspond à *acquérir,* et *acquit* à *acquitter,* v. tr. • *Par acquit de conscience.*

âcre adj. Acc. circ. sur l'*a.* • Il en va de même pour le dér. *âcreté,* n. f., mais *acrimonie,* n. f., et *acrimonieux* (*euse*), adj., s'écrivent sans acc., bien que de même étymologie.

adhérent(e) n. et adj. verbal : *Notre mutuelle a mille adhérents.* • Le part. prés. **adhérant** du v. tr. indir. *adhérer* est à distinguer de l'adj. verbal : il s'écrit avec un *a,* comme tout part. prés. : *En adhérant à ce parti, il assurait sa carrière.* • Le mot *adhérent* se rapporte à *adhésion,* alors que le n. et adj. *adhésif* se rapporte à *adhérence.*

adjoint(e) n. et adj. Il n'y a pas de trait d'union entre ce mot et le nom (ou adj.) qui le précède : *les deux directeurs adjoints, le secrétaire général adjoint.*

adresse n. f. Touj. au sing. dans : *des tours d'adresse* ; touj. au plur. dans : *un (des) carnet(s) d'adresses.*

aérogare n. féminin. Noter le genre.

affaire n. f. On écrit au sing. : *se tirer d'affaire, tout cela est affaire de..., être hors d'affaire* ; • au plur. : *être en affaires ; un agent d'affaires, un brasseur d'affaires, un bureau d'affaires, un cabinet d'affaires, un chiffre d'affaires, un chargé d'affaires, un homme d'affaires ; toutes affaires cessantes.*

afférent(e) adj. Ne jamais écrire « afférant » avec un *a* puisqu'il ne peut s'agir en aucun cas d'un part. prés. (il n'existe pas de v. « afférer ») : *Tu as accepté ce poste et les responsabilités y afférentes.*

affolement n. m. Deux *f*, un seul *l*. (Au contraire, *follement*, adv., prend deux *l*, tandis que **folâtre**, adj., et **folâtrer**, v. intr., n'en ont qu'un.)

affres n. f. plur.

affût n. m. Acc. circ. sur l'*u*. Il en va de même pour tous ses dér. : **affûter**, **affûtage**, **affûteur**, **réaffûtage**, etc., y compris le n. m. plur. **affûtiaux**, parfois rencontré au sing. : *un affûtiau*. • Attention : *fût* prend un acc., mais il n'en faut pas à *futaie, futaille, futaine, futé* (« Bison futé »), *faire du raffut.*

afghan adj. et n. pr. (dans ce cas, majusc. initiale). Un seul *n* au fém. : *afghane, deux Afghanes.*

agape n. f. Noter le genre. S'emploie au plur. quand on parle d'un repas entre amis : *des agapes gargantuesques.*

agate n. f. S'écrit sans *h*, contrairement au prénom *Agathe.*

agenda n. m. Plur. : *des agendas.* Prononcer « ajinda ».

agglomérer v. tr. Prend deux *g*.

agglutiner v. tr. Prend deux *g*.

aggraver v. tr. Prend deux *g*, alors qu'*agrandir* n'en prend qu'un.

agissements n. m. Ne s'emploie qu'au plur.

agrafe n. f. Un seul *f*. Ne pas écrire : « agraphe ».

agrandir v. tr. Un seul *g*, alors qu'*aggraver* en prend deux.

agripper v. tr. Un seul *g*. Ce v. et son radical *gripper* sont les seuls de cette terminaison à prendre deux *p* (Bescherelle), comme le subst. *grippe*. • Moyen mnémonique : « Il est âgé (*a-g* = un *g*) pépé (*p-p* = deux *p*) ».

agrumes n. masculin touj. plur.

ah ! interj. Le point d'exclamation est obligatoire, mais il est reporté après un mot monosyllabique étroitement lié à l'interj. : « *Ah bon !* ».

aide n. m. : *un aide de camp* ; *j'ai besoin d'un aide* (d'un assistant) ; n. féminin : *l'aide sociale, une aide ménagère, votre aide m'est précieuse.*

aide- élément de n. comp. Il faut distinguer : ceux où *aide* est un nom ; ils désignent des personnes et prennent un tr. d'union et le double plur. : *aide(s)-chimiste(s), aide(s)-comptable(s), aide(s)-cuisinier(s), aide(s)-maçon(s)* ; • ceux où *aide* est une forme conjuguée du v. tr. *aider* ; ils désignent des choses, prennent un tr. d'union et sont invar. : *aide-mémoire,* n. m., *aide-radio,* n. f. • Pas de trait d'union dans *aide(s) de camp.*

aïeul n. m. Deux plur. selon le sens : *aïeuls* (= nos grands-parents) ; *aïeux* (= nos ancêtres).

aigre-doux, aigre-douce adj. Plur. : *aigres-doux* (masc.), *aigres-douces* (fém.).

aigu adj. Au féminin : **aiguë** (tréma sur l'*e*) • n. m. : *les aigus d'une partition musicale.*

aîné(e) n. et adj. L'acc. circ. sur l'*i* subsiste au fém. (comme puîné) et dans le dér. **aînesse** (*le droit d'aînesse*). Syn. : *premier-né.*

air n. m. On écrit sans tr. d'union : *en plein air, le plein air.* En minusc. : *l'armée de l'air,* mais avec une majusc. : *le ministère de l'Air* ; avec deux majusc. : *L'École de l'Air,* puis *l'École militaire de l'Air.* • *Air-air, air-terre, sol-air* : expr. invar. (du domaine militaire) : *des missiles sol-air.* • Sans tr. d'union : *Air Canada, Air France.*

aisance n. f. Au plur. dans les expr. figées : *cabinet(s) d'aisances, fosse(s) d'aisances, lieux* (touj. au plur.) *d'aisances.*

alcôve n. f. Noter le genre. Acc. circ.

aléa n. m. (du lat. *alea,* coup de dés, chance). Francisé avec un acc. aigu ; presque touj. employé au plur. : *les aléas du métier.* • Sans acc. dans l'expr. lat. *Alea jacta est* (« Le sort en est jeté ») attribuée à César franchissant le Rubicon.

algèbre n. f. Noter le genre. L'acc. grave fait place à l'acc. aigu dans les dér. **algébrique, algébriquement, algébriste,** etc.

aligoté n. m. (d'un cépage bourguignon à raisins blancs). • Hom. : **haligoter,** v. tr., de l'anc. franç. signif. « couper en morceaux » (on disait aussi *harigoter*), d'où est issu le fameux *haricot de mouton*... dans lequel les haricots n'entrent pas.

alizé n. masculin. Noter le genre. Souvent plur. Avec un *z,* et non un « s ».

allée n. f. Au plur. dans l'expr. *les allées et venues.* Noter la différence d'orthogr. avec *les aller(s) et retour(s).*

allô ! interj. Acc. circ. sur l'*o*. • Hom. : **halo**, n. m.

allume- élément de n. comp., tous masc., tous invar. : *allume-feu, allume-gaz, allume-cigares* (ce dernier mot, toutefois, peut être écrit avec ou sans *s* final).

alternative n. f. Choix entre deux possibilités : *La valise ou le cercueil, telle était l'alternative.* • À cette définition, qui seule reste correcte, un sens néologique critiqué emprunté à l'anglais est venu s'ajouter : le sens de *solution de rechange,* de *moyen de remplacement.* Une *alternative* implique l'existence de deux éventualités ; ce n'est donc pas l'une d'elles qui constitue à elle seule l'*alternative.* Ensuite, il convient d'éviter des expr. comme « une double alternative », « entre deux alternatives », quand on veut parler de deux solutions possibles, auquel cas le mot *alternative* suffit.

altitude n. f. L'expr. « haute altitude » est à rejeter parce que pléonastique : elle juxtapose deux mots synonymes ayant une racine commune (lat. *altus,* haut). Il faut préférer *grande altitude.* (Pour exprimer le contraire, on peut tolérer *basse altitude,* mais *faible altitude* est préférable.)

alvéole n. f. Le genre de ce mot, aujourd'hui, est le féminin.

ambre n. masculin. Noter le genre. • Adj. de couleur INVAR. : *des verres ambre, des boiseries ambre.*

amiante n. MASC. Noter le genre : *l'amiante bleu.*

amour n. masc. au sing., fém. au plur. dans la langue littéraire (parf. masc. sous certaines plumes). Touj. au masc. quel que soit le nombre quand il s'agit de représentations allégoriques : *Une Vénus couchée entourée de six Amours joufflus* (pour l'allégorie, la majusc. est préférable).

amuse-gueule n. m. Tr. d'union. Plur. : ou bien *des amuse-gueules,* ou bien invariabilité.

amygdale n. f. Se prononce « amidal ».

an n. m. On écrit de préférence : *Jour de l'An* (deux majusc.), *l'an mille* (et non « mil »), *l'an IV* ; *bon an, mal an* (virgule). • *An* s'emploie pour *année,* sauf dans certaines expr. : *de nombreuses années* (et non « de nombreux ans »).

année-lumière n. f. Plur. : *des années-lumière.* On dit aussi *années de lumière.* Rappelons que c'est une unité non pas de temps, comme le mot *année* pourrait le laisser supposer, mais de

14

longueur, représentant la distance parcourue dans le vide par la lumière en une année, à la vitesse d'environ 300 000 kilomètres par seconde : *Sirius est à 8,6 années-lumière de la Terre.*

annexé adj., adv., part. passé du v. tr. *annexer*. • Comme *ci-joint* et *ci-inclus*, *ci-annexé* ne s'accorde que s'il a valeur adjective : *Vérifiez bien les documents ci-annexés.* Il reste invar. s'il a valeur adverbiale et est placé devant le nom : *Ci-annexé deux bordereaux, Veuillez trouver ci-annexé les épreuves de votre article.*

anoblir v. tr. (= conférer [à quelqu'un] un titre de noblesse : *Le roi a anobli son grand argentier*). Ne pas confondre avec **ennoblir**, v. tr. (« donner de la noblesse morale ») : *Ce bon et beau livre ennoblit votre œuvre.*

anthracite n. masculin. Noter le genre : *l'anthracite artificiel.* • Adj. de couleur INVAR. : *Les camaïeux anthracite d'une grisaille.*

anti- élément grec indiquant le contraire, l'opposition : *anticyclone, antimilitaire, antisémite.* Les dict. récents ont supprimé le tr. d'union, même avec les mots commençant par une voyelle, sauf devant la voyelle *i* : *anti-impérialiste, anti-italien* ; • ils ne la maintiennent que : dans le mot *anti-sous-marin* ; devant les sigles (*anti-UV*) ; dans les noms propres (*Anti-Atlas, Anti-Dühring, Anti-Liban*). On le conserve aussi dans les créations occasionnelles : *Le cinéma, c'est mon anti-déprime !*

antidote n. masculin. Noter le genre.

antipode n. masculin. Noter le genre. Surtout usité au plur. : *vivre aux antipodes* ; et aussi au figuré : *aux antipodes de la réalité.*

anti-sous-marin adj. Deux tr. d'union. *Des grenades anti-sous-marines.*

août n. m. On prononce « ou » ou « out' ».

apéritif n. masculin et adj. (fém. : *apéritive*). Un seul *p*, contrairement à *appétit* ; malgré les apparences, les deux termes n'ont pas la même étymologie (voir *appétit*).

à-peu-près n. m. composé (deux tr. d'union) : *Contentons-nous d'à-peu-près*, forgé à partir de la loc. adv. *à peu près* (sans tr. d'union) : *Cette ville compte à peu près un million d'habitants.* Les traits d'union sont réservés à la loc. substantivée.

apogée n. MASC. Noter le genre.

appendice n. masculin. Prononcer « pain ».

appétit n. m. Deux *p* dans ce mot lié à l'idée d'approcher, de chercher à atteindre, et aussi d'envie et de désir. *Apéritif*, qui ne comporte qu'un *p*, est issu d'un terme de médecine exprimant, lui, une idée d'ouverture.

approuvé part. passé du v. tr. *approuver*. Reste invar. s'il est employé prépositivement, comme dans la loc. *lu et approuvé* ; ex. : *approuvé les art. 7 à 9* ; *lu et approuvé les termes du contrat.* (On sous-entend : [le signataire a] *lu et approuvé les termes*, etc.)

après que... Le bon usage consiste à bannir le subjonctif après l'emploi de cette loc. Avec *après que* on dit et écrit : *Venez me voir après que vous aurez fini votre travail.* La règle veut en effet que l'indicatif présent ou futur (voire, beaucoup plus rarement, le conditionnel) suive *après que*. Mais, avec *avant que*, une construction correcte exige le subjonctif : *Venez me voir avant que vous ayez commencé votre travail.*

arcane n. MASCULIN. Noter le genre. Usité surtout au plur., au sens, comme au singulier, d'opération mystérieuse (*les arcanes de la politique* : ses secrets, ses mystères).

arc-en-ciel n. m. Deux tr. d'union. Plur. : *des arcs-en-ciel* (la liaison se fait avec un *c* dur, aussi bien au plur. qu'au sing. : « des ark-en-ciel »).

archipel n. m. Ne pas dire : « un archipel d'îles », c'est un pléonasme.

archives n. f. plur. Ce mot est inusité au sing. • Majusc. à : *les Archives (nationales).*

arme n. f. Touj. au PLUR. dans : *commandant(s) d'armes, fléau(x) d'armes, gens d'armes* (anc. forme devenue *gensdarmes* puis *gendarmes*), *maniement d'armes, masse(s) d'armes, passe(s) d'armes, peuples* (ou *soldats*) *en armes, place(s) d'armes, veillée(s) d'armes.*

armistice n. MASCULIN. L'armistice du 11 novembre 1918.

arôme n. m. *Arôme* prend un acc. circ. sur l'*o*. • Tous ses dér. s'écrivent sans acc. circ. : **aromal(e, aux)**, adj. ; **aromate**, n. m. ; **aromaticité**, n. f. ; **aromatique**, adj. et n. masculin ; **aromatisan(e)**, adj. ; **aromatisation**, n. f. ; **aromatiser**, v. tr. ; **aromie**, n. f. (d'un insecte).

arrache- Tous les n. comp. ayant *arrache-* pour premier élément prennent la marque du pluriel au second : *arrache-clou(s), arrache-étai(s), arrache-moyeu(x), arrache-tube(s), arrache-tuyau(x)*, etc. • La loc. adv. *d'arrache-pied* reste INVAR.

arrhes n. f. plur. Les arrhes ne sont pas des *acomptes* (voir ce mot).

arrière adj. INVAR. *Les roues arrière d'une voiture.* (Pour un animal, dire : *les pattes de derrière*, et non « les pattes arrière ».) • Substantivé, *arrière* s'accorde normalement : *ménager ses arrières ; les arrières d'une équipe de football.*

arrière- premier élément de nombreux n. comp. Le ou les autres éléments s'accordent au pluriel suivant les règles ordinaires de la grammaire, l'élément *arrière* demeurant INVAR. • Chacun de ces n. comp. a le genre de son élément principal. Ex. : *d'obscures arrière-boutiques ; nos arrière-petites-cousines ; nos arrière-grands-mères ; vos arrière-neveux.*

arroger (s') v. essent. pronom. Il fait exception : alors que les autres v. essent. pronom. accordent leur participe passé avec le sujet, celui de *s'arroger* s'accorde avec le COMPLÉMENT DIRECT placé DEVANT et reste INVARIABLE si ce dernier LE SUIT : *Les monopoles qu'ils se sont arrogés.*

artifice n. m. Reste au SING. dans : *des feux d'artifice.*

artiste n. et adj. Pas de tr. d'union à : *artiste peintre, artiste décorateur*, etc. • Le mot est des deux genres : *une grande artiste.*

asphalte n. MASCULIN : *L'asphalte est sec, ce matin.*

assidûment adv. Noter l'acc. circ. sur l'*u.*

assurance n. f. On écrit ce mot au SING. dans : *contrat(s) d'assurance, police(s) d'assurance, prime(s) d'assurance* ; • au PLUR. dans : *agent(s) d'assurances, compagnie(s) d'assurances, portefeuille(s) d'assurances.* • PLURIEL SIMPLE dans : *des assurances-vie* ; DOUBLE PLURIEL dans : *des assurances-crédits.*

asthme n. MASCULIN. Noter le genre. Comme dans *isthme*, on ne prononce pas le *th* ; on dit : « asme ».

attrape- premier élément de mots composés (tous masc.) issus du v. tr. *attraper* (un seul *p*) : *attrape-mouche* (plante ; plur. généralement prôné aujourd'hui : *des attrape-mouches*) ; *attrape-mouches*, n. invar. (oiseau dit aussi *gobe-mouches*, n. invar.) ; *attrape-mouches* (piège à mouches ; subst. invar.) ; *attrape-nigaud* (plur. : *attrape-nigauds*) ; *attrape-tout* (adj. invar.).

auburn adj. de couleur, INVAR. Des chevelures auburn.

aucun adj. et pron. indéf. Le pron. ne se met au pluriel que dans l'expr. *d'aucuns.* • L'adj. reste touj. au SING., excepté devant les noms qui n'ont pas de singulier (ex. : *N'engagez aucuns frais*) ou qui, ayant un singulier, sont employés dans un sens essentielle-ment pluriel (ex. : *Elles se sont trouvées sans aucunes ressources pour vivre*). • Une succession de sujets introduits par *aucun* laisse le verbe au SING. : *Aucun homme, aucune femme, aucun enfant n'a péri.*

augure n. MASCULIN : *Ce début est de bon augure.*

auspices n. MASCULIN, SURTOUT USITÉ AU PLUR. : *sous les meilleurs auspices.*

autre adj. et pron. indéf. On écrit : *J'ai agi pour de tout autres raisons* (et non : « de toutes autres »). • Avec *chose* : accord au FÉM. dans : *D'autres choses précieuses se trouvaient là* ; au MASC. dans : *Autre chose de plus substantiel nous fut proposé* (ici, *autre chose* forme une loc. de genre masc., comme *quelque chose* [ex. : *quelque chose de bon*]).

autrui pron. indéf. INVAR., toujours au SING. • Employé exception-nellement comme sujet, s'accorde au MASCULIN : *Autrui m'est indifférent.*

avantage n. m. Ne pas confondre **d'avantage** (*Nous ne voyons pas d'avantage à déménager* = il n'y a aucun avantage à cela) et **davantage** (*Tu ne te reposes pas davantage ?* = un peu plus long-temps ?). Voir *davantage.*

avènement n. m. Noter l'acc. GRAVE.

azalée n. FÉMININ. Noter le genre. Ne pas dire : « un » *azalée.*

azimut n. m. Pas d'*h* final (contr. à *bismuth*). *Tous azimuts.*

B

bâbord n. m. Côté gauche d'un navire lorsqu'on regarde vers la proue, vers l'avant du bateau. Acc. circ. sur l'*a.*

baffe n. f. (fam.). Noter les deux *f* dans ce synonyme de *gifle* (mot qui, lui, ne prend qu'un *f*).

bafouer v. tr. Un seul *f*.

bagou (ou **bagout**) n. m. Les deux orthogr. sont admises. Quelle que soit la graphie, pas d'acc. circ. sur l'*a*.

bail n. m. Contrat. • Plur. : *baux*. On écrit : *un bail de trois, six, neuf années*. • *Crédit-bail*, n. m., a, lui, un pluriel en *bails* : *des crédits-bails*.

bâiller v. intr. 1° Ouvrir involontairement la bouche (*bâiller d'ennui, de faim, de fatigue, de sommeil...*) ; 2° Être entrouvert ou mal ajusté (*Cette porte bâille*). Acc. circ. sur l'*a*. • Le part. passé est invar. • Ne pas écrire « bâiller aux corneilles » ! (Voir *bayer*.)

bâillon n. Noter l'acc. circ., qui subsiste dans **bâillonnement** (n. m.) et dans **bâillonner** (v. tr.), le *n* étant doublé dans tous les dér. de *bâillon*.

balade n. f. (famil.). Promenade, sortie. Un seul *l* comme pour **balader (se)** et **baladeur(euse)**.

balafre n. f. Un seul *l*, un seul *f* ; pas d'acc. circ. sur l'*a*.

balai-brosse n. m. Plur. : *balais-brosses*.

balbutiement n. m. Noter l'*e* après *ti*. Prononcer : « bal-bu-ci-man ».

ballade n. f. Poème. Noter les deux *l*, alors que l'hom. *balade* (voir ce mot) n'en prend qu'un.

ballonnement n. m., **ballonner** v. tr. et intr. : deux *n*.

ballottage, n. m., **ballottement** n. m., **ballotter** v. tr. et intr., prennent deux *l* et deux *t*.

ban n. m. Le mot entre dans de nombreuses expr. découlant de ses divers sens : ensemble de vassaux d'un seigneur (*lever le ban, convoquer le ban et l'arrière-ban*), proclamation réglementaire ou défense annoncée publiquement (*le[s] ban[s] de vendange, publier ses bans [de mariage]* : noter le pluriel obligatoire dans cette dernière expr.), roulement de tambour ou sonnerie de clairon (*Fermez le ban !*), battements de mains (*Et un ban pour notre sympathique secrétaire !*), condamnation à l'exil, à être déchu de ses droits (*mettre au ban de la société*). • *Arrière-ban* fait au pluriel *arrière-bans*. • En revanche, il faut bien écrire **banc**, avec un *c* final, dans *être au banc d'infamie* (= être assis au banc des accusés, lors d'un jugement).

banal adj. Au sens propre et vieilli : « qui appartient au seigneur, qui est soumis au droit de banalité, qui est commun à tous les habitants d'une commune », le pluriel est exclusivement *banaux* (*des fours, des moulins banaux*). Au sens moderne et usuel (« quelconque, ordinaire, sans originalité », etc.), le pluriel est *banals* (*des propos banals, des événements banals*).

bande-annonce n. f. S'écrit avec un tr. d'union. Plur. : *des bandes-annonces*.

banderole n. f. S'écrit avec un seul *l*.

baraque n. f. Un seul *r*, de même que **baraqué, baraquement** et **baraquer**.

barème n. m. Un acc. grave et un seul *r*.

baril n. m. S'écrit avec un seul *r*, comme **barillet**, et contrairement à *barrique*, qui en prend deux.

barrette n. f. Deux *r* et deux *t*.

barricade n. f., **barricader** v. tr. et pronom. Deux *r*.

barrique n. f. Deux *r*, contrairement à *baril*.

bas-côté n. m. Plur. : *des bas-côtés*.

bas-fond n. m. Plur : *des bas-fonds*.

bas-relief n. m. Plur. : *des bas-reliefs*.

basse-cour n. f. Plur. : *des basses-cours*.

bastingage n. m. Pas d'*u* derrière le premier *g*.

bas-ventre n. m. Plur. : *des bas-ventres*.

bâtard(e) n. et adj. S'écrit avec un acc. circ.

bateau n. m. Pas d'acc. circ. sur l'*a*. • On écrit : *un bateau à moteur, un bateau à vapeur*, mais, avec compl. du nom au pluriel : *un bateau à voiles, un bateau à rames* (en évitant d'utiliser *bateau à voiles* pour une petite embarcation n'ayant qu'une voile !).

bateau-lavoir n. m. Plur. : *des bateaux-lavoirs*.

bateau-mouche n. m. Plur. : *des bateaux-mouches*.

bateau-phare n. m. Plur. : *des bateaux-phares*.

bat-flanc n. m. INVARIABLE. Ici, *bat* vient de *battre*, donc ne pas écrire « bas » ni « bât ». *Ils sont allongés sur des bat-flanc inconfortables.*

bayer v. intr. Rester la bouche ouverte. *Bayer aux corneilles* (et non « bâiller aux corneilles »).

beau-père n. m., **belle-mère** n. f. Plur. : *beaux-pères, belles-mères.*

bébé-éprouvette n. m. Plur. : *bébés-éprouvette* (2e élément invar. : les bébés ne sont pas eux-mêmes des éprouvettes !).

béchamel n. f. On trouve aussi la graphie *béchamelle. Il y a bien trop de beurre dans votre béchamel !* • On écrit : *sauce à la Béchamel* (ce dernier mot prend la majusc., car il s'agit alors toujours du n. pr. du personnage dont le cuisinier avait inventé la sauce, n. pr. qui a fourni le n. commun).

bénéficier v. tr. ind. *Bénéficier de quelque chose.* « Bénéficier à » est condamné en tant que solécisme. Dire : *profiter à.*

benêt n. et adj. MASC. Il n'existe pas de féminin.

béni(e), bénit(e) Part. passé. Deux formes qui sont employées respectivement dans des cas en principe bien déterminés.
• *Béni(e)* s'emploie dans les cas suivants : 1° Au passif et à l'actif, quand la bénédiction rituelle donnée par un prêtre porte sur une PERSONNE ou sur une CHOSE qui n'est pas un objet : *Les mariés ont été bénis par le père Antoinet ; le mariage de Pierre et d'Odette a été béni par le R.P. Lacombe ; le cardinal H... a béni les fidèles.* 2° Au passif et à l'actif, dans tous les cas où il ne s'agit pas d'une bénédiction rituelle : *Ô terre bénie des dieux ! ; avant d'émigrer, le père avait béni ses enfants.* 3° Dans un temps composé à la forme ACTIVE, quand il s'agit d'objets auxquels un prêtre donne la bénédiction rituelle : *Ce sont là des médailles que le Saint-Père a bénies ; le chapelet que l'archevêque a béni restera dans une châsse.*
• *Bénit(e)* a des emplois plus restrictifs : 1° À propos de CHOSES, d'OBJETS consacrés par la bénédiction rituelle du prêtre : *Le buis bénit a été distribué aux fidèles ; le pain bénit a été porté aux malades ; les médailles et les chapelets bénits seront envoyés en Afrique.* (*Bénit[e]*, dans les emplois précédents, est adj.) 2° Dans un temps simple ou composé de la forme PASSIVE, et s'agissant d'objets consacrés par une bénédiction rituelle : *La nouvelle chapelle sera bénite par Mgr Satanas ; je tiens à cette médaille : elle a été bénite par mon grand-oncle le cardinal Destaing !*

bernard-l'ermite n. m. INVAR. On peut écrire aussi : *bernard-l'hermite.* Noter le tr. d'union et l'apostrophe.

bifteck n. m. Francisation de *beefsteak.*

blue-jean n. m. Prononcer « blou-djinn ». *Des blue-jeans.*

bohème n. et adj. S'écrit avec un acc. grave : *la vie de bohème, mon fils est par trop bohème, des individus bohèmes.* • En revanche, on met une majusc. et un acc. circ. à **Bohême**, n. pr. d'une région d'Europe centrale. Par antonomase, c'est-à-dire en transformant en n. commun un n. propre (comme la ville de *Camembert* a donné son nom au *camembert...*), on écrit : *des verres en bohème, du bohème (*en conservant, là, l'accent circonflexe), pour dire « en cristal de Bohême, du cristal de Bohême »).

bonhomme n. m. (parf. adj.). Plur du subst. : *bonshommes.* • Le dér. **bonhomie,** n. f., s'écrit avec un seul *m*. L'adj. a un plur. différent : *des attitudes bonhommes.*

bouche-trou n. m. Plur. : *des bouche-trous.*

boucle n. f. Au plur., *boucle d'oreille* (sans tr. d'union) fait : *des boucles d'oreilles.*

bourse n. f. Prend la majusc. quand il s'agit de l'organisme financier et d'un édifice l'abritant, voire de manifestations diverses comportant une vente : *les cours de la Bourse, la Bourse aux timbres-poste de...*

boursoufler v. tr. Un seul *f*. Contrairement à *souffler.*

bouton n. m. Double pluriel à : *bouton(s)-poussoir(s)*, mais plur. simple à : *bouton(s)-pression* (2ᵉ élément invar.). • De même, *bouton-d'argent* et *bouton-d'or*, n. m. de plusieurs plantes et d'un oiseau, ne prennent la marque du pluriel qu'à leur premier élément : *des boutons-d'or.*

brave adj. Cet adj. change de sens selon qu'il est placé devant ou derrière un subst. « *Un brave homme*, dit Littré, est un honnête homme ; *un homme brave* est un homme qui a de la bravoure. »

bravo ! interj. d'admiration, parfois ironique. Doit toujours être suivi d'un point d'exclamation. N. m. : *Des bravos nourris saluèrent le discours.*

brèche n. f. Acc. GRAVE (et non circ.).

bric-à-brac n. m. INVAR. Deux tr. d'union.

brique n. f. On écrit ce mot plutôt au SING. quand il n'est ni déterminé ni qualifié : *une maison de brique, des murs de brique*, mais le pluriel n'est pas fautif (*une cloison de briques*). Le singulier met l'acc. sur le matériau ; le pluriel, sur l'objet fabriqué avec celui-ci. • *Brique* est également un adj. de couleur INVAR. *Des tons brique sur une nature morte.*

22

brocard n. m. / **brocart** n. m. La confusion orthographique est fréquente entre ces deux substantifs, et pourtant leur sens est bien différent ! Un *brocard*, avec un *d* terminal, c'est « un sarcasme, un trait piquant » : **brocarder** quelqu'un, « c'est lui décocher des railleries plus ou moins venimeuses ». C'est aussi, en vénerie, un cervidé d'un an (dans ce sens écrit parfois *brocart*, *broquard* ou *broquart*). Quant au *brocart*, avec un *t*, « c'est une étoffe de soie brochée d'or et d'argent et enrichie de dessins ».

bronze n. m. Adj. INVAR. de couleur : *des teintes bronze*.

brouillon(ne) adj. Double l'*n* au féminin.

broussaille n. f. Usité le plus souvent au plur. : *Ôter les broussailles de son jardin*. Mais l'emploi au sing. est correct. • Au SING., dans l'expr. : *en broussaille* (*des cheveux, une barbe en broussaille*) • CITATION : « *Le centre du combat point obscur où tressaille / La mêlée effroyable et vivante broussaille* » (Hugo, *Les Châtiments*, « L'expiation »).

brûle- premier élément de quelques mots composés, issu du v. tr. et intr. *brûler*. Attention à l'acc. circ. sur l'*u*. • La loc. adv. *à brûle-pourpoint* comporte un tr. d'union. • *Brûle-gueule*, n. m., fait *brûle-gueule* ou *brûle-gueules* au plur. *Brûle-parfum*, n. m., est accepté sous la graphie *brûle-parfums*, même au singulier, par certains dict. usuels. Plur. : *des brûle-parfums*.

brunch n. m., américanisme obtenu par contraction de *breakfast* et de *lunch* : repas combinant petit déjeuner et déjeuner, et servi entre 10 et 14 heures. Ce type de repas n'est plus, aujourd'hui, réservé à la journée du dimanche (voire du samedi). • Plur. : *des brunchs* (à la française, de préférence à l'anglais *brunches* !).

brun-rouge ou **brun rouge** adj. de couleur INVAR. Doit-on mettre un tr. d'union ? Notre réponse : les deux formes sont correctes, avec une légère nuance : *brun-rouge*, avec le tr. d'union, fond réellement les deux couleurs en une seule, comme si chacune était une composante à 50 % de la teinte ; *brun rouge*, en deux mots, insiste implicitement sur le fait que le *brun* dont on parle est la couleur dominante et « tire » sur le rouge. • Le subst. dér. s'accorde : *Des bruns(-)rouges très vifs tranchaient sur le fond mat*.

brut(e) adj., **brut** adv. L'adj. s'accorde normalement : *la marge brute d'autofinancement*. • Après un nombre, un pourcentage, une valeur, etc., on considère que *brut* est adverbial, donc invariable : *un bénéfice de 18,10 M€ brut* ; *s'agit-il de 15 € net ou* *brut ?* Le *t* final se prononce toujours. • Au sens absolu, *brut* est substantivé : *50 barils de brut* (de pétrole brut), *deux jéroboams de brut* (de champagne brut). Donc le pluriel *des bruts* est licite, que l'on parle de pétroles, de salaires... ou de champagnes !

buccal adj. Plur. f. *buccales* ; m. : *buccaux*. Attention aux deux *c*. On les retrouve dans tous les dér. du lat. *bucca*, « bouche » : *buccin, bucco-dentaire, bucco-nasal*, etc.

bûche n. f. Attention à l'acc. circ. sur l'*u*, y compris chez les dér. directs comme **bûcheron**, ou hybrides comme *embûche* (mais non sur *trébucher*, v. intr., qui a une autre origine).

bucolique adj. Un seul *c* (étym. grecque : *boukolos*, pâtre).

bungalow n. m. Plur. : *des bungalows*.

buter v. tr. (= étayer), intr. (= heurter) et pronom. (= s'entêter). Un seul *t*. Ne pas confondre avec **butter**, v. tr. pourvu de deux *t* (entourer de terre exhaussée).

butiner v. tr. et intr. Un seul *t*.

C

ça pron. dém. Peut s'élider devant les formes conjuguées de l'auxil. *avoir* : *Ç'a (ç'avait) été notre dernière chance.*

çà adv. de lieu. Pas de tr. d'union à : *çà et là*. • Interj. *Or çà, causons ! Ah ! çà ! vous ici !*

cabane n. f., **cabanon** n. m. L'*n* du radical n'est pas doublé.

câble n. m., et ses dér. **câblage, câbleau, câbler, câblerie, câbleur, câblier, câblogramme, câblot** prennent un acc. circ. • Exception : **encablure**, n. f., pas d'acc.

cabotage n. m., **caboter** v. intr. (part. passé invar.), **caboteur** n. m. Un seul *t*.

cabriole n. f., **cabrioler** v. intr. (part. passé invar.), **cabriolet** n. m. Un seul *l*.

cacahuète n. f. (= arachide). Autres graphies : *cacahouète, cacahouette.*

cachotterie n. f. Deux *t.* (comme **cachotter**, v. tr. dir., et **cachottier** [-ère], n.)

cachou n. m. Plur. en *s* : *sucer des cachous.* • Adj. de couleur invar. : *des gilets cachou.*

caduc adj. Fém. : *caduque* (comme *turc/turque*, non comme *grec/grecque*).

cafétéria n. f. Francisation de l'italien *cafeteria*, bar, café.

cagnotte n. f. Deux *t.*

cahot n. m. (= secousse). Dér. : **cahoter**, v. intr. (part. passé invar., sauf s'il est adjectivé) et tr. ; **cahotant(e)**, adj. (= qui subit des cahots) ; **cahoteux(euse)**, adj. (= qui provoque des cahots). • HOM. : **chaos**, n. m. (= amas désordonné). Bien écrire : *voiture cahotante* (et non : « chaotante »), *route cahoteuse* (et non : « chaoteuse »). • « Cahotique » n'existe pas ; en revanche, il y a bien l'adj. **chaotique**, issu de *chaos*.

cahute n. f. Un seul *t* (contrairement à *hutte*).

caïman n. m. Crocodile exclusivement AMÉRICAIN.

cajoler v. tr. et intr. Pas d'acc. circ. sur l'*o. Idem* pour ses dér. : **cajolerie**, n. f., **cajoleur(euse)**, n. et adj., etc.

calotte n. f. Deux *t* dans toutes les acceptions et tous les dér. SAUF **calotin(e)**, qui n'en prend qu'un.

calvados n. m. (eau-de-vie de cidre). Pas de majusc. Par abrév. : *calva* (*des calvas*).

camaïeu n. m. Touj. au SING. dans *peindre en camaïeu, des tableaux en camaïeu.* • Plur. : *des camaïeux.* (Quelques lexicographes admettent « camaïeus ».)

camée n. MASCULIN. Noter le genre pour ce bijou, ce médaillon de pierre fine ou dure. (En argot, pour désigner un drogué, la graphie est *un camé* [fém. : *une camée*].)

camélia n. m. S'écrit *Camellia* en botanique. *La Dame aux camélias,* d'Alexandre Dumas fils.

caméra n. f. Francisé avec un acc. aigu. • Pour remplacer le dér. *cameraman*, parfois francisé en *caméraman* (plur. *cameramen* ou *caméramans*), on recommande l'équivalent français *cadreur*.

can- / cann- Mots où l'*n* n'est pas doublé : *canadien, canaille, canal, cananéen, canapé, canaque, canard, canari, canasson, canasta, cane* (oiseau), *caner* (v. argot), *canette* (petite cane), *canevas, canepetière, canéphore, caneton, caniche, canicule, canif, canillon* (= caneton), *canin, canine, canitie, caniveau, canoë, canon, cañon* (ou *canyon*), *canot, canular, canule, canut*, et leurs dér. ; ainsi que quelques noms propres : *Canaries, Canigou, Canope*, etc.
• Mots où l'*n* est doublé : *cannabinacées, cannage, cannaie, canne* (1° bâton pour la marche ; 2° récipient ; 3° plante sucrière ; 4° oiseau), *canneberge, cannelier, cannelle* (écorce du cannelier ; chantepleure de tonneau), *cannelloni, cannelure, canner* (= garnir : *canner une chaise*), *cannetille, cannibale.*
• *Canette*, avec un seul *n*, désigne à la fois une petite cane, une bouteille de bière et une pièce de machine à coudre ; mais, dans ces deux derniers sens, *cannette* avec deux *n* est admis.
• *La Canebière*, à Marseille : un seul *n* ; la rue *Cannebière*, à Paris (12ᵉ arr.) : deux *n*. C'est le même mot que *chènevière* (= plantation de *chanvre* [appelée *can(n)ebière* dans le Sud-Est], dont la graine est le *chènevis*).

canari n. m. INVAR. en tant qu'adj. de couleur : *des pulls canari.*

cancer n. m. Prend la majusc. dans : *la constellation (le signe) du Cancer, le tropique du Cancer* (hémisphère boréal).

canoë n. m. Tréma sur l'*e*. Mais acc. aigu au dér. *canoéiste.*

canon 1 n. m. et adj. (= relatif aux lois et règles de l'Église). Les dér. NE DOUBLENT PAS l'*n* terminal : **canonial(ales, aux)**, adj. ; **canonicat**, n. m. ; **canonique**, adj. ; **canoniser**, v. tr. ; **chanoine**, n. m. ; **chanoinie**, n. f. (syn. de *canonicat*), etc.

canon 2 n. m. (= pièce d'artillerie). Contrairement à ceux du précédent, les dér. DOUBLENT l'*n* final : **canonnade**, n. f. ; **canonner**, v. tr. ; **canonnier**, n. m. ; **canonnière**, n. f., etc. • DÉR. COMPOSÉS : *canon-harpon*, n. m. (plur. : *des canons-harpons*) ; *homme-canon*, n. m., *femme-canon*, n. f. (l'homme et la femme n'étant pas eux-mêmes le canon, mais au contraire le projectile, nous prônons le plur. *hommes-canon, femmes-canon* (comme *stations-service* et *timbres-poste*).

canton n. m. Sans majusc. : *république et canton de Genève, le canton de Vaud*, etc. • Compl. de nom au SING. dans : *des chefs-*

lieux de canton. • Dér. 1° Ne doublent pas l'*n* terminal devant un *a* : *parler à la* **cantonade,** loc. ; **cantonal(e, es, aux),** adj. ; **cantonalisme,** n. m. ; **cantonaliste,** n. et adj. 2° Doublent l'*n* final : **cantonnement,** n. m. ; **cantonner,** v. tr. ; **cantonnier,** n. m. ; **cantonnière,** n. f.

canular n. m. Sans *d* final. • Dér. : *canularesque,* adj.

cap n. m., **cape** n. f. On écrit : 1° Sans *e* final : *doubler le cap* ; *mettre le cap sur...* ; *passer le cap* ; *cap d'escadre* (anc. marine) ; *cap d'escouade* (anc. armée) ; *cheval cap de more* (ou *de maure*) ; *de pied en cap.* 2° Avec un *e* final : *mettre à la cape ; récit de cape et d'épée ; rire sous cape.*
• Désignant en géographie une avancée de la terre sur la mer, *cap* garde la minusc. : *le cap Ferrat, le cap Gris-Nez, le cap Horn.* Intégré à un ensemble territorial, le mot prend la majusc. : ainsi, *le cap Bon,* en Tunisie, devient le *Cap-Bon* si l'on entend la région résidentielle voisine. *Idem* s'il entre dans une entité administrative : *Cap-d'Ail, Cap-de-Sète* ; ou postale : *Cap-d'Antifer,* à La Poterie ; *Cap-Ferrat,* à Saint-Jean-Cap-Ferrat, etc. • On écrit : *aller au Cap* (et non « à Le Cap »). • Bien noter : *le cap Vert* (le cap lui-même, au Sénégal), *les îles du Cap-Vert* (archipel et État indépendant ; gentilé : Cap-Verdien[ne], Cap-Verdien[ne]s).

capitaine n. m. Ne pas confondre *capitaine d'industrie* (= industriel de grande envergure) et *chevalier d'industrie* (= escroc).

caporal(aux) n. m. Tr. d'union à : *caporal-chef* (plur. *caporaux-chefs*). • Deux majusc. à : *le Petit Caporal* (Napoléon I[er]).

capot n. m. *Des capots.* • Adj. invar. : *On les a mises capot !*

câpre n. f., **câprier** n. m. Acc. circ. sur l'*a.*

capricorne n. m. Majusc. dans : *la constellation (le signe) du Capricorne, le tropique du Capricorne* (hémisphère austral).

carafe n. f. Un seul *r,* un seul *f* (comme *girafe*). De même : **carafon.**

caramel adj. de couleur invar. : *des chemisiers caramel.*

caravelle n. f. *Les caravelles de Christophe Colomb.* • Prend une majusc. pour le nom déposé d'avion (invar. : *des Caravelle*).

carbone n. m. Pas de tr. d'union à *carbone 14,* et l'on écrit d'un seul tenant son synonyme, *radiocarbone.*

carie n. f., **carier (se)** v. pron. Un seul *r* (contr. à *carrière*).

carmin adj. de couleur, INVAR. : *des tons carmin criards* ; et n. m. : *des carmins trop vifs.*

carotte adj. de couleur INVAR. : *des rideaux carotte.* • N. f. : *Les carottes sont cuites !*

carpe n. MASC. (= os du poignet) ; n. FÉM. (= poisson).

carte n. f. Sans tr. d'union : *carte postale.* Avec tr. d'union : *carte-lettre*, n. f. (plur. : *des cartes-lettres*) ; *carte-réponse* (des *cartes-réponses*) ; *carte-vue* (belgicisme) [des *cartes-vues*].

carton n. m. Tr. d'union et DOUBLE PLUR. à : *carton-feutre, carton-paille, carton-pâte, carton-pierre* : *des cartons-feutres, des cartons-pailles*, etc. • Les dict. se contredisent sur : *carton à chapeau* ou *à chapeaux, carton à dessin* ou *à dessins.* Certains ne mettent l'*x* et l's qu'au pluriel. On devrait laisser *chapeau* au sing. même quand *carton(s)* est au plur., et mettre *dessin(s)* au plur. même quand *carton* est au sing.

cartouche n. MASC. (= petit tableau dans l'angle d'une carte, d'une illustration ; emplacement réservé à un texte, à une légende ou à un titre). • N. FÉM. (= munition pour arme à feu).

cas n. m. Touj. au SING. dans *au cas où...* ; *en aucun cas* ; *en quelque cas que...* ; *en tout cas* (= de toute façon, quoi qu'il arrive). • Pour cette dernière loc., n'employez le plur. qu'avec l'article défini : *dans tous les cas*, et plutôt avec une épithète ou un complément : *en tous les cas envisageables.* • DÉR. : *en-cas* n. m. (= casse-croûte, parapluie). On écrit aussi *encas.*

casse- premier élément (invar.) de nombreux mots composés (forme conjuguée du v. tr. *casser*). Tous sont du genre MASCULIN (seul *casse-tête* fut fém. au XVIIIe s.). Tous sont INVAR. en nombre, mais : 1° les uns gardent leur second élément au sing. ; 2° d'autres le maintiennent au plur. ; 3° d'autres le conservent soit au sing., soit au plur., tel qu'il est quand le mot composé est au singulier. Soit : • catég. 1 : *casse-coke, casse-cou, casse-croûte, casse-cul* (n. et adj.), *casse-fer, casse-fonte, casse-graine, casse-gueule* (n. et adj.), *casse-mariage* (= instrument de textile), *casse-poitrine, casse-sucre, casse-tête, casse-trame, casse-vessie* ; et, nécessairement, casse-noix ; • catég. 2 : *casse-couilles* (n. et adj. fam., parfois « atténué » en *casse-bonbons*), *casse-lunettes, casse-mottes, casse-noisettes* (voir note, à la fin de cet articulet), *casse-pieds* (n. et adj.) ; • catég. 3 : *casse-noyau* ou *casse-noyaux* (certains dict. font ce mot invariable en nombre et ne mettent l'*x* qu'au pluriel),

28

casse-pierre ou casse-pierres, casse-pipe ou *casse-pipes*. • NOTE :
Le ballet *Casse-Noisette*, de Tchaïkovski, s'écrit sans *s* terminal.

catarrhe n. m. (= rhume chronique) ne s'écrit pas comme **cathare**,
n. et adj. (= relatif à la secte médiévale des albigeois).

causer v. intr. Il est incorrect de dire : « causer à quelqu'un » ;
on doit dire *parler à...* ou bien *causer avec*.

ce pron. dém. S'élide devant une voyelle : *c'est, c'était, c'eût été,
c'en est trop* ; avec une cédille quand la voyelle est dure : *ç'a été,
ç'avait été*, etc. • *Ce* est toujours muet dans les inversions : *se
pourrait-ce ?* ; *qu'est-ce ?* (rime avec *caisse* dans *Cyrano de Berge-
rac*, IV, III, d'Edmond Rostand). • Certains « puristes » veulent
que *c'est* soit une formule figée où *c'* est sing., et refusent la loc.
ce sont. Mais celle-ci a été employée par de grands écrivains, sauf
devant *nous* et *vous*, qui seuls l'excluent. (Cf. : « *Ce n'est pas nous,
ce sont nos capitaines* » : Hugo, *Lég. des siècles*, « La vision de
Dante ».) L'inversion même est admise : on trouve *sont-ce*
(Molière, Musset, etc.), *étaient-ce, seraient-ce*. Toutefois, *seront-ce*
et *furent-ce* sont inusités. • Adj. dém. Contrairement au pron., il
refuse l'élision et ajoute un *t* : *ce* devient *cet* devant une voyelle
ou un *h* muet.

ceci, cela pron. dém. Quand ces deux mots sont mis en opposition, *ceci* désigne la chose citée la plus proche, *cela* celle qui se
trouve le plus loin. Quand *ceci* est employé seul, il doit en principe désigner ce qui suit ; il en découle qu'on ne devrait pas dire :
« ceci dit », mais *cela dit*, car *cela* employé seul se rapporte à ce
qui précède. Toutefois, cette règle est méconnue.

cedex n. m. Acronyme signif. « courrier d'entreprise à distribu-
tion exceptionnelle ». Donc, pas d'acc.

céladon adj. de couleur (vert pâle) INVAR. : *des potiches céladon*.

cellophane n. f. (déposé). C'est une marque, aussi devrait-on
toujours mettre une majuscule initiale.

celui, celle, ceux, celles pron. dém. Si l'on dit : *celle-ci*, ou :
celle-là, c'est celle qu'on montre. Si l'on écrit : *celui-là* (employé
seul), c'est celui de qui l'on parle (« *Et s'il n'en reste qu'un, je serai
celui-là* » : Hugo, *Les Châtiments*). • Si l'on met les deux pron. en
opposition, leur attribution respective est la suivante. Supposons
qu'on écrive : « *Jean et Pierre se sont revus ; celui-ci a invité celui-
là* » : c'est Pierre (le plus proche) qui a invité Jean (le premier cité).

censé(s) adj. *Tu es censé* (supposé) *ne pas me connaître.* • Attention à l'hom. **sensé** (= qui a du bon sens) : ne pas confondre !

cent 1° ADJ. NUM. CARD. *Cent* prend un *s* quand il est précédé d'un nombre qui le multiplie, pourvu qu'il ne soit suivi d'aucun adj. numéral (supérieur ou inférieur). Ex. : *cinq cents euros*, mais : *deux cent mille euros*, et : *deux cent trois euros*. Il s'accorde devant *millier, million, milliard, billion, trillion*, qui ne sont pas des adj. numéraux mais des noms (subst.). 2° ADJ. NUM. ORD. *Cent*, dans cette fonction, reste invar. : *l'an mil huit cent, la page deux cent* (ici, *cent* = centième). 3° N. MASC. S'accorde normalement : *des mille et des cents* (*mille*, au contraire, reste invar., même quand il est subst.). • On écrit sans tr. d'union : *cent vingt ans, le cent cinquantième anniversaire, le trois centième numéro de la revue.* • En revanche, on met un tr. d'union quand il s'agit d'une fraction, d'un fractionnement, et que la loc. adj. num. est substantivée : *Il n'a touché que le deux-centième de l'héritage !*

centigrade adj. L'expr. *degré centigrade* est abandonnée depuis 1948 et remplacée par *degré Celsius*. Symbole : °C. Le signe *degré* (°) doit être espacé du chiffre qui le précède, et collé à la lettre C : *une température de 41 °C.* (Si l'on supprime le C, le signe *degré* doit, au contraire, être collé au chiffre : *41°.*)

cep n. m. (= plant de vigne), **cèpe** n. m. (= bolet).

cerf n. m. L'*f* terminal est muet. Pourtant, beaucoup de gens le prononcent, sauf dans le dér. *cerf-volant* (plur. : *cerfs-volants*).

cerise n. f. Est invar. en son emploi d'adj. de couleur : *des bonnets cerise, des tentures rouge cerise.*

cervical(e, es, aux) adj. = qui concerne le cou, la nuque ou le col de l'utérus et non pas le cerveau : ne pas confondre alors avec **cérébral**.

cessez-le-feu n. m. Noter la finale *ez* et les deux tr. d'union.

cession n. f. (= acte ou fait de *céder*). Ne pas confondre avec l'hom. **session** (= acte ou fait de *siéger*).

chai n. m. Pas d'*s* final, sauf au pluriel : *les chais de ce viticulteur bordelais.*

chair n. f. Au SING. : *bien en chair* ; *ni chair ni poisson.* • Adj. de couleur INVAR. : *des bas chair.*

champ n. m. Deux tr. d'union à : *sur-le-champ*, loc. adv. (= immédiatement). • On écrit *champ* au SING. dans : *à tout bout de*

30

champ. • On écrit : *une brique posée de chant* (le **chant** est le petit côté), ou : *sur chant.* • Histoire : *les champs Catalauniques,* ou *Catalauniens.* • Mythologie : *les champs Élysées,* ou *Élyséens.* • À Paris : *les Champs-Élysées* (c'est le même mot que : *les Alyscamps,* ou *Aliscamps,* à Arles ; lat. *Elysi campi*).

chaque adj. indéf. sing. Une succession de *chaque* laisse le verbe au SING. : *chaque homme, chaque femme, chaque enfant sera recensé.* C'est logique, puisque *chaque* n'a pas de pluriel. • Dire : « ils possèdent vingt millions chaque » est familier mais incorrect : il faut dire : *vingt millions chacun* (pron. indéf.).

char n. m. Tous les dérivés de *char* – excepté **chariot**, n. m. – doublent le *r* : **charrette,** n. f., **charrier,** v. tr., **charroi,** n. m., **charroyer,** v. tr., etc. De même : **charretier,** n. m.

chassé-croisé : n. m. Plur. : *des chassés-croisés.*

chat n. m. Féminin **chatte** (deux *t,* alors que le féminin de *rat* est *rate,* avec un seul *t*).

châtaigne n. f. Mot invar. quand il est employé comme adj. de couleur : *des pantalons châtaigne.*

châtain adj. VAR. (de la couleur de la châtaigne). Il est normal de pouvoir dire : *une chevelure châtaine, une barbe châtaine, des mèches châtaines.*

château n. m. Pas de tr. d'union à *château fort.*

chauve-souris n. f. Plur. : *des chauves-souris.*

chef n. m. Quand *chef* est mis en apposition avec un autre subst., il ne prend un tr. d'union que s'il vient en dernier dans le groupe. Ex. : *un adjudant-chef, un médecin-chef,* mais *le chef jardinier, le chef mécanicien.* • On écrit : *un chef-lieu,* n. m. (plur. *des chefs-lieux*) ; *un chef-d'œuvre* (plur. : *des chefs-d'œuvre*) [on prononce : « chédeuvre »] ; *un couvre-chef* (plur. : *des couvre-chefs*).

chemin n. m. Pas de tr. d'union à *chemin de fer.*

chenal n. m. Plur. : *des chenaux.*

chêne-liège n. m. Tr. d'union. Plur. : *des chênes-lièges.*

cher adj. (fém. : *chère*) et adv. 1° très aimé : *mon cher ami* ; 2° très coûteux : *la viande est chère* (adj.) ; *cette étoffe coûte cher* (adv.). • Attention aux confusions éventuelles : ne pas écrire « faire bonne **chair** », mais : *faire bonne* **chère**, ce qui, à l'origine, signifiait : « faire bon visage », et a fini par vouloir dire : « faire un bon repas ».

cheval n. m. Plur. : *chevaux*. • Le compl. de nom est touj. au SING. dans : *un cheval (des chevaux) de bât, de course* (mais : *un champ, des champs de courses), de selle, de trait* ; et, au figuré : *cheval (chevaux) de frise* (usité presque exclusivement au plur.). • Le compl. de nom est touj. au PLUR. dans : *un cheval (des chevaux) d'arçons* (ou *cheval-arçons*, n. m. INVAR.). • *cheval(aux)-vapeur*.

chez-soi n. m. invar. *On est mieux chez soi* : pas de tr. d'union (prép. + pron.) : *chacun son chez-soi* : tr. d'union (subst.).

chlorhydrique adj. Attention au groupe *rhy*...

chocolat n. m. *Des chocolats amers.* • Adj. de couleur, le mot demeure invar. : *des tuniques chocolat*.

chœur n. m. *Chanter en chœur.* • Mais : *réciter par* **cœur** (hom.).

chou n. m. Plur. : *choux*. • Les dér. comp. avec tr. d'union (*chou-fleur, chou-navet, chou-palmiste, chou-rave*) prennent le double plur. (à l'exception de *chou-colza*, qui n'a pas de plur. usité). • Au PLUR. : *pâte à choux*.

chouchou n. m. Fém. : *chouchoute* (mais on peut conserver le masc. à propos d'une fille, d'une femme : *Elle est son chouchou*). Plur. : *chouchous*.

chrysanthème n. MASCULIN. Noter le genre (et les deux *h*).

ci adv. (= ici, que voici). Après un subst., touj. avec tr. d'union : *cette rue-ci, ces jours-ci* ; • En loc. adv. invar. : *ci-après, ci-contre, ci-dessous, ci-dessus, ci-devant* (ce mot substantivé reste invar. : *les ci-devant Dupond et Dupont*) ; • Dans les loc. tantôt adverbiales, tantôt adjectives *ci-annexé, ci-inclus, ci-joint, ci-présent*. La dernière citée, n'étant qu'adjective, est toujours variable : *les prévenus ci-présents*. Les trois premières sont considérées :
1° comme adjectives, donc VARIABLES, quand elles qualifient et suivent un subst. : *les rapports ci-joints, la facture ci-incluse* ; ou si elles précèdent un subst. assorti d'un article : *Veuillez trouver ci-jointe* (ou : *ci-annexée* ; ou : *ci-incluse*) *la notice explicative* ;
2° comme adverbiales, donc INVARIABLES, quand elles commencent une phrase : *Ci-joint une liste de produits à détaxer, ci-annexé les indications complémentaires* ; ou quand elles précèdent un subst. dépourvu d'article : *Je vous envoie ci-inclus photocopie des documents reçus* ; *tu trouveras ci-joint note de frais détaillée.*

ciel n. m. Le plur. *cieux* est d'emploi général. • Le plur. *ciels* est usité en poésie, en critique artistique (les *ciels* des impressionnistes), et dans quelques mots composés dér. du mot *ciel*, tous n. m. : *ciel de carrière, ciel de chambre, ciel de foyer, ciel de lit.* Ces noms composés ne prennent pas de tr. d'union.

cime n. f. Pas d'acc. sur l'*i*, contr. à *abîme*.

ciseau n. m. (= outil pour trancher dans le bois, le fer, la pierre). Ne dites pas : « Passe-moi le ciseau, que je me coupe les ongles », car il s'agit alors d'une *paire de ciseaux* ; plur. OBLIGATOIRE.

cithare n. f. (= autref., sorte de lyre ; auj., instrument à cordes sans manche) ; **sitar** n. m. (= instrument à cordes pincées d'origine indienne). Noter la différence de graphie et de genre.

citron n. m. L'adj. de couleur est INVAR. : *des vestes citron.*

clafoutis n. m. S'écrit aussi *clafouti*.

cloche-pied (à) loc. adv., donc invar. Tr. d'union.

cocotte n. f. Touj. deux *t*, quel que soit le sens.

coexister v. intr. Part. passé invar. Ne pas lier l'*o* et l'*e*. De même dans *coexistence*, n. f.

coffre-fort n. m. Tr. d'union. Double plur. : *des coffres-forts.*

commande n. f. Au SING. dans : *un (des) bon(s) de commande, le(s) levier(s) de commande* (ou : *les commandes*). • Au PLUR. dans : *un (des) carnet(s) de commandes* (cf. *un carnet de chèques, de notes*).

comme conj. et adv. La présence ou l'absence d'une virgule de part et d'autre d'une incidente introduite par *comme* peut modifier le sens de la phrase et imposer ou non l'accord. Ex. : *La IIIᵉ République, comme le Second Empire, s'est achevée sur une défaite* : les virgules donnent à *comme* un sens COMPARATIF, qui entraîne l'accord du verbe au SING. avec « République ». • Mais : *La IIIᵉ République comme le Second Empire se sont achevés sur une défaite* : ici l'absence de ponctuation confère à *comme* un sens CUMULATIF qui amène tout naturellement l'accord du verbe au PLUR. avec les deux sujets « République » et « Empire ». • Voir aussi *considéré(e)*.

commis n. m. SANS tr. d'union : *commis voyageur*.

communicant(e) adj. Noter la fin du mot : *-cant(e)*, et la différence avec le part. passé du v. tr. : *communiquer* : *communiquant*.

comptine n. f. (= chant enfantin). Ne pas écrire « contine » !

concomitant(e) adj. Aucune consonne n'est doublée.

conserve n. f. L'expr. **de conserve**, loc. adv. (= ensemble, pour s'entraider, en parlant de bateaux), ne devrait pas être confondue avec l'expr. **de concert**, loc. adv. (= d'un commun accord).

considéré(e) part. passé du v. tr. *considérer*. Il faut dire : *Ce terme est considéré comme incorrect* (et non : « considéré incorrect »).

constellé(e) adj. « Constellé d'étoiles » est un pléonasme à rejeter.

conte n. m. On écrit : *conte de fées* avec un *s* à ce dernier mot.

coquelicot n. m. L'adj. de couleur est INVAR. : *des pulls coquelicot*.

corail n. m. Plur. : *coraux*. • L'adj. de couleur est INVAR. : *des draperies corail*. • Cet adj. peut se substantiver : *des corails rutilants* (ici, le plur. *coraux* ne saurait convenir).

coteau n. m. Pas d'acc. sur l'*o*. Ex. : *Les coteaux du Layon*.

courtisan(e) n. et adj. Ne double pas l'*n* au fém., tout comme *partisan(e)*, et contrairement à *paysan(ne)*. • L'adj. a le même sens au masc. (*un hommage courtisan*) et au fém. (*des flatteries courtisanes*) ; il n'en va pas de même du subst., qui, masc., désigne un noble de la cour, et, fém., une femme légère.

crachoter v. Un seul *t*.

créance n. f. On écrit : *le nouvel ambassadeur présenta ses lettres* (au plur.) *de créance* (au sing.).

crêpe n. MASC. (= tissu) s'écrit comme *crêpe*, n. FÉM. (= galette).

34

D

dahlia n. m. Attention à la place du *h* ! Le nom de cette plante vient de *Dahl*, patronyme d'un botaniste suédois.

dalaï-lama n. m. La bonne règle est de mettre un tr. d'union, sans indiquer de majuscule(s) : *Le dalaï-lama a visité Paris.*

damier n. m. Ne pas prendre le tout pour une partie, et ne pas écrire, par exemple : « Un drapeau à damiers noirs et blancs » quand il s'agit de cases noires et blanches. Écrire : *à damier noir et blanc.*

dartre n. FÉMININ.

datte n. f. Fruit du dattier. Deux *t*.

débâcle n. f. et ses dér. (**débâclement, débâcler**) s'écrivent avec un acc. circ.

déballage n. m., **déballer** v. tr., prennent deux *l*.

débarras n. m. S'écrit avec deux *r*, de même que ses dér.

déblai n. m. Sans *s* final, comme *remblai* et *délai.*

déblaiement, déblayage n. m. Action de déblayer. • Au sens figuré, c'est *déblayage* qui est usité : *faire le déblayage de ses affaires.*

déblocage n. m. Avec un *c*, et non « qu ».

déboire n. m. Est le plus souvent usité au pluriel : *avoir essuyé bien des déboires.*

debout adv. Donc toujours INVARIABLE ! Ex. : *Ils sont toujours restés debout* ; *des vents debout.*

début n. m. La langue soutenue exige que l'on dise : *au début de juillet, au début de 1980.* « Début 86 », « début janvier », etc., sont des tournures elliptiques de style familier.

débuter v. INTRANSITIF. • L'emploi transitif, quoique fréquent dans la langue parlée, n'est pas reconnu comme licite.

deçà adv. Ne pas omettre l'acc. grave. *Courir deçà et delà, deçà delà* ; *jambe deçà, jambe delà.* • Pas de tr. d'union dans *en deçà, en deçà de.*

décade n. f. Période de dix jours. *La Décade prodigieuse*, d'O. Welles. Ne pas confondre avec **décennie**, n. f., période de dix ans.

déceler v. tr. Découvrir, dévoiler, montrer... Ne pas confondre orthographiquement avec **desceller.**

décemment adv. Se prononce « déssaman ».

déchiffrage n. m. Action de déchiffrer, spécialement en musique : *déchiffrage d'une partition musicale.* Le mot est donc à distinguer de **déchiffrement**, n. m., action de déchiffrer : *déchiffrement des messages, des dépêches, d'inscriptions, de hiéroglyphes, de caractères à demi effacés*, etc. ; particulièrement : décodage, décryptage, action de déchiffrer un message codé.

de-ci, de-là loc. adv. Deux tr. d'union. La virgule est facultative, mais la tendance est à mettre cette ponctuation.

décimer v. tr. A conservé longtemps, et exclusivement, son sens originel : « mettre à mort une personne sur dix ». Quoi que puissent dire des puristes, l'extension de sens s'est imposée (« faire périr un grand nombre de personnes »).

déclarer v. tr. *Déclarer que* se construit avec l'indicatif ou avec le conditionnel : *Il a déclaré que la mesure serait bientôt rapportée.*

décollage n. m. Action de décoller volontairement (*décollage d'affiches, de papier peint*) ; action de prendre son envol, de quitter le sol (*décollage de deux chasseurs-bombardiers*). Par extension : développement, démarrage économique. • **décollement**, n. m., est syn. de *décollage* au sens de « décoller volontairement ce qui est collé ». Est surtout usité au sens de « fait de s'être décollé », « accident par lequel ce qui est collé arrive à se décoller » (*décollement du papier peint du fait de l'humidité*) ou avec l'acception de « séparation d'un organe ou d'une partie d'organe des régions anatomiques où, normalement, ils adhèrent » (*décollement de la rétine*).

décombres n. MASCULIN plur. Le mot est parfois employé au singulier, en poésie.

décorticage n. m., **décortication** n. f., s'écrivent avec un *c* et non « qu ».

décorum n. m. Acc. aigu sur l'*e*. • Le mot est inusité au pluriel, quel que soit le sens (*mépriser les règles du décorum*).

découplé(e) adj. Souple, bien proportionné, bien bâti. Ne pas dire : « une grande et belle fille bien découpée », mais : *une grande et belle fille bien découplée* !

décrépi(e) adj. Qui a perdu son crépi (*mur décrépi, maison décrépie*, etc.). À ne pas confondre avec l'hom. **décrépit(e)** adj. Qui est dans un état de décrépitude, dans une extrême déchéance physique due à la vieillesse. S'applique donc, au sens propre, à des personnes.

décrochage n. m. Action de décrocher (*le décrochage de tous les tableaux du salon*) ; repli, pour une unité militaire (*la section profita de la nuit pour effectuer son décrochage*). • **décrochement** désigne un écart entre deux terrains qui ne sont pas au même niveau, ou un retrait par rapport à un alignement (*la maison en décrochement, après les deux H.L.M.*).

décrue n. f. Pas d'acc. circ. comme pour *crue*, n. f.

défi n. m. Pas de *t* final.

définitif(ve) adj. On ne dit plus « en définitif » (= en [jugement] définitif) mais exclusivement *en définitive* (loc. adv.). *En définitive, la ferme fut vendue au notaire.*

dehors adv. On écrit avec un tr. d'union : *au-dehors, par-dehors* (*se pencher au-dehors*). En revanche, pas de tr. d'union dans : *en dehors* et *en dehors de*.

déjà adv. Ne pas omettre l'acc. grave sur l'*a*.

déjeuner n. m. Ne prend pas d'acc. circ. sur l'*u* (ne pas se laisser influencer par l'orthogr. de *dîner* ou de *jeûner* !).

délice n. MASCULIN au singulier et FÉMININ au pluriel (survivance de l'usage littéraire). On évitera de faire figurer le mot aux deux genres dans une même phrase : « C'est un de mes plus grandes délices » ! Dans un cas semblable, on unifie sur le MASC. : *Écouter du Mozart est un de mes plus grands délices.*

démarrer v. tr. et intr. Deux *r*.

demi n. MASCULIN. 1° La moitié d'une unité : *deux demis font un entier.* 2° Verre de bière (qui à l'origine contenait un demi-litre : *boire un demi panaché ; garçon, deux demis !*). 3° Au football et au rugby, joueur placé en position intermédiaire : *les demis, un demi gauche, un demi droit, un demi de mêlée.*

demi(e) ADJ. S'accorde en genre avec le subst. qui le précède, mais en restant touj. au sing. : *deux centimètres et demi, quatre heures et demie, une fois et demie, minuit et demi,* etc. • C'est un adj. substantivé dans : 1° *demie,* n. f., moitié d'une heure : *la demie de 7 heures vient de sonner* ; 2° *demie,* n. f., bouteille d'un demi-litre (autref.) ou de 37,5 cl (auj.) : *Patronne, deux demies de muscadet bien frais, avec nos huîtres !* • Au sens d'« à moitié » (toujours avec tr. d'union) : *Ils étaient demi-saouls.*
• Loc. adv. : *à demi* (= « à moitié », et, par extension, « presque », « en partie », « partiellement »...) : est suivi d'un tr. d'union devant un nom : *à demi-mot, à demi-voix*... Devant un adj. ou un participe, pas de tr. d'union : *à demi morts de peur, à demi brûlée, à demi sourd,* etc. Également invar. – de par sa nature grammaticale – lorsque la loc. adv. figure après le verbe : *avoir mené l'entreprise à demi* ; *ouvrir un tiroir, une porte à demi*...
• Adj. et élément de formation, *demi* sert à composer des mots désignant la moitié d'un tout, ou d'une chose imparfaite, incomplète. Ces mots sont formés avec un nom (*un demi-finaliste, une demi-mondaine, une demi-heure*...) ou avec un adj. (*pâtes demi-feuilletées, aiguille demi-fine*...). • Dans TOUS ces cas, *demi*- demeure INVARIABLE. À part de rares exceptions, les substantifs prennent la marque du pluriel (*un demi-tour, des demi-tours* ; *une demi-heure, des demi-heures*) ; les adj. varient en genre et en nombre (*un enfant demi-nu, des fillettes demi-nues*).

dent n. f. Figure dans de nombreuses locutions et expr. soit au plur. : *à belles dents, en dents de scie, le mal de dents, mentir comme un arracheur de dents,* soit au sing. : *donner un coup de dent* ; *œil pour œil, dent pour dent* ; etc.

déploiement n. m. Ne pas oublier l'*e* intérieur.

dépouille n. f. Le plus souvent accompagné de l'adj. *mortelle* quand il s'agit d'un corps humain (*la dépouille mortelle du chef de l'État a été exposée à Notre-Dame*), mais non quand il s'agit d'animaux. • Au plur. au sens de « butin », de « biens ou fonctions qu'on se partage » : *les dépouilles opimes, le système des dépouilles* (aux États-Unis) ; *se partager les dépouilles du disparu.*

derechef adv. Signifie « de nouveau » et nullement « sur-le-champ ».

dernier(ère) n. et adj. La place de *dernier(ère)* peut modifier le sens : on dira toujours *le dernier mois, la dernière semaine, la dernière année,* etc., quand il s'agira du dernier mois, de la dernière semaine... d'une période quelconque (*la dernière semaine de mon service militaire s'est passée en déplacements incessants*), alors que l'adj. viendra en... dernière position lorsqu'on parlera du mois, de la semaine, etc., qui précèdent le mois, la semaine... où l'on est au moment où l'on parle (*la semaine dernière, je suis allé à Rambouillet*).

dernier-né n. Les deux éléments varient en genre et en nombre : *des derniers-nés, une dernière-née, des dernières-nées.*

derrière prép. adv. et n. m. On dit : *l'arrière du train,* plutôt que « le derrière du train » ; en revanche, les deux termes peuvent être employés concurremment : *le derrière* (ou : *l'arrière*) *de la maison, le derrière* (ou : *l'arrière*) *de la tête,* etc. • *Par-derrière* s'écrit avec un tr. d'union (*attaquer par-derrière*).

désirer v. tr. *Désirer que* est suivi du subj. : *Elle désire que tu viennes.*

dessein n. m. « Projet, intention ». • Loc. adv. : *à dessein.*

desserrer v. tr. et pron. Deux *s* et deux *r,* comme les dér. : **desserrage,** n. m., **desserrement,** n. m., etc.

dessous prép. et adv. Comme prép., est souvent remplacé de nos jours par *sous* (*chercher sous la table,* et non plus *chercher dessous la table*). • On écrit avec un tr. d'union : *au-dessous, ci-dessous, là-dessous* et *par-dessous,* mais non *de dessous* ni *en dessous.* • On doit dire : *traiter quelque chose par-dessous la jambe* (négligemment), et non « par-dessus la jambe ». • Pas de tr. d'union dans : *sens dessus dessous.*

dessus prép. et adv. Tr. d'union à *au-dessus, ci-dessus, là-dessus,* mais non à *de dessus* ni à *en dessus.* • Pas de tr. d'union à *sens dessus dessous.*

désuet adj. Le fém. est : **désuète** (avec un acc. grave). La prononciation considérée comme licite est : « dessuet(te) ».

détail n. m. Au singulier dans : *en détail* (*voir, raconter*). On dit plutôt : *vendre au détail* que : *vendre en détail.*

détente n. f. Alors que la *gâchette* est une pièce intérieure dans une arme à feu, la *détente* est la pièce saillante sur laquelle on appuie le doigt. Il faut donc dire : *appuyer, mettre le doigt sur la* détente, *avoir le doigt sur la détente*, etc., car on ne peut pas avoir le doigt sur la gâchette !

détoner v. intr. De même que ses dér. (**détonant[e], détonateur, détonation**), ce verbe qui signifie « exploser avec bruit » s'écrit avec un seul *n*. • Son hom. **détonner**, v. intr. (= « chanter faux » ; « n'être pas en harmonie avec un ensemble ») prend deux *n*.

deuxième adj. num. ord. et n. Ne pas écrire « deuzième ». • Les puristes respectent la distinction entre *second(e)* et *deuxième* : s'il n'y a que deux termes dans une énumération, on emploie *second(e)* ; si l'énumération peut être continuée, c'est *deuxième* qui doit être employé... Pourtant, on dit bien : *un deuxième classe* (soldat), alors qu'il n'y a pas de « troisièmes classes » parmi les hommes de troupe, ou « *passer en seconde* » à l'issue de la classe de troisième... Pour cette raison, on dit : *la Seconde Guerre mondiale* (et non « la Deuxième »).

devant prép. adv. et n. m. Tr. d'union dans les loc. *au-devant, ci-devant, par-devant*. • *Ci-devant* est touj. invar. quand il est n. ou adj. : *Les ci-devant avaient fui devant la foule* ; *les ci-devant marquises*.

dévot n. et adj. Fém. : *dévote* (un *t*). Pas d'acc. circ.

dieu n. m. Majusc. initiale quand il s'agit du Dieu unique propre à certaines religions monothéistes : *implorer Dieu* ; *à la grâce de Dieu !* ; *le bon* (ou : *Bon*) *Dieu* ; *à Dieu vat !* (orthographe classique, en faisant claquer le *t* final), ou *à Dieu va !*, ou encore *à-Dieu-va !* et *à-Dieu-vat !* • Petit *d* quand il est question des diverses divinités des religions polythéistes : *allons prier les dieux...* ; *le dieu des Moissons, le dieu du Commerce*, etc. (noter la majusc. au déterminant) ; *les dieux de l'Olympe, les demi-dieux, une nourriture des dieux, les dieux tutélaires*, etc. ; par extension : *Ce chanteur est le dieu de mes filles...* • Dans les interjections et jurons, c'est la notion du dieu unique (d'où la majuscule) qui l'emporte : *bon Dieu ! juste Dieu ! grand Dieu ! bon Dieu de bon Dieu ! mon Dieu !* etc. (mais : *Vingt dieux !*).

différend n. m. « Désaccord, contestation ». Bien distinguer ce mot de ses deux hom. **différent** (adj. ; fém. : *différente*) et **différant** (part. prés. invar. du v. *différer*).

difficulté n. f. Au sing. dans les loc. *avec difficulté, sans difficulté, non sans difficulté, être en difficulté*.

digestible adj. « Facile à digérer ». • L'adj. synonyme **digeste** (quasi homographe de *digest*, anglicisme auquel on doit préférer *résumé, condensé*), n. m., est considéré comme appartenant au langage familier. • **digestif**, adj. (fém. : *digestive*) et n. m., n'est pas un synonyme, mais signifie : « qui facilite la digestion ».

digression n. f. Éviter la faute fréquente qui consiste à dire et à écrire : « disgression ».

dilemme n. m. Ne pas dire et écrire « dilemne »... *Dilemme* n'est pas synonyme d'*alternative* : les deux possibilités d'un dilemme aboutissent à une conclusion malheureuse, ce qui n'est pas le lot de toutes les alternatives.

dîner 1° v. intr. ; 2° n. m. Noter l'*i* (acc. circ.). • Avec tr. d'union : *dîner-débat, dîner-concert, dîner-spectacle...* • Au plur., les deux éléments s'accordent : *des dîners-débats*, etc.

diplôme n. m. Acc. circ. sur l'*o*, de même que **diplômer**, v. tr., et **diplômé(e)**, adj. et n. • contrairement aux autres mots de la même famille : **diplomate** et ses dér., qui s'écrivent sans acc.

disgrâce n. f. Acc. circ. sur l'*a*, à la différence de **disgracié(e)**, **disgracier** et **disgracieux(euse)**.

dissonance n. f. Un seul *n. Idem* pour : **dissonant(e)** et **dissoner**.

dissymétrie n. f., **dissymétrique** adj., s'écrivent avec deux *s* (contrairement à *asymétrie* et à *asymétrique*) ; un seul *y* et *é* (non *è*).

drainage n. m., **drainer** v. tr. Pas d'acc. circ. sur l'*i*.

drôle n. m. et adj., **drôlerie** n. f., **drôlesse**, n. f. S'écrivent avec un *ô*, ce qui n'est pas le cas pour l'adj. **drolatique**.

dû n. m. Acc. circ. : *payer son dû*. Cela, pour distinguer ce mot de l'article *du*. Il n'y a pas besoin de cet acc. circ. ni au féminin ni au pluriel : *la somme due, les intérêts dus*.

duc n. m. S'écrit sans majusc. Fém. : *duchesse*. • Tr. d'union à : *grand-duc* (noble régnant sur un *grand-duché*), *grand-ducal*, *grand-duché*, *grande-duchesse* ; plur. : *grands-ducs, grandes-duchesses*. • *Un grand duc* (sans trait d'union) peut être un duc fameux dans l'Histoire... ou grand par la taille !, ainsi qu'un rapace.

dru(e) adj. *Une pluie drue, des herbes drues*. • Derrière un infinitif, *dru* est généralement considéré comme adverbialisé, et reste invariable : *La pluie tombe dru*.

dûment adv. Acc. circ., au contraire de *prétendument*.

duplicata n. m. invar. *Les duplicata d'une note de frais.*

dysenterie n. f. Maladie infectieuse grave, qu'on ne doit pas confondre avec une banale *diarrhée.* Prononcer : « di-ssan-tri ».

dysharmonie n. f. Noter l'*y* de l'orth. classique. *Disharmonie* est aujourd'hui accepté.

E

eau n. f. On écrit, au singulier : *faire eau de toutes parts, être en eau* (= être en nage), *tourner en eau de boudin, une salle d'eau, un porteur d'eau, des jeux d'eau, une voie d'eau, un jet d'eau.* En revanche, plur. dans : *une ville d'eaux* (= où l'on va prendre les eaux).

ébène n. FÉMININ : *une très belle ébène.*

ébouriffer v. tr. et pron. Un seul *r* et deux *f*, comme tous les dér. : *ébouriffade*, n. f., *ébouriffage*, n. m., *ébouriffant(e)*, adj., *ébouriffement*, n. m., etc.

écailler v. tr. Ôter les écailles d'un poisson. • Ne pas confondre avec *écaler*, v. tr., « retirer l'écale », c'est-à-dire l'écorce, la gousse ou la coque (de certains fruits : noix, amandes, etc., des œufs, des haricots, des fèves...). • **Écailler(ère)** n. Personne qui vend, qui ouvre des coquillages : ne pas écrire « écaillier » avec un *i* derrière les deux *l*, sur le modèle de *quincaillier(ère).*

écarlate n. f. et adj. L'adj. est variable et s'accorde en nombre (*des tentures écarlates*).

ecchymose n. f. Prononcer : « ekimoz ». Syn. : hématome ou, plus familier, « bleu ».

échafaud n. m., **échafaudage** n. m., **échafauder** v. tr., s'écrivent avec un seul *f* (contrairement à *échauffourée*).

échalote n. f. Un seul *t.*

échappatoire n. FÉMININ.

échauffourée n. f. Deux *f*, un seul *r.*

éfaufiler v. tr. (= ôter les fils). Ne pas écrire « effaufiler ».

égout n. m. Pas d'acc. circ. sur l'*u* (étym. : *goutte*).

eh ! interj. exprimant la surprise, la joie, la contradiction. Ne pas confondre avec **hé !** interj. qui appelle, interpelle, interrompt. On écrit : *Eh ! que faites-vous donc ?* et : *Hé ! toi, là-bas, où vas-tu ?*

élection n. f. Au PLUR. : *les élections législatives* ; *les élections consulaires* ; au SING. : *l'élection présidentielle*.

emblème n. MASCULIN. Avec un accent grave.

emboîter v. tr. Acc. circ. sur l'*i* (étym. : **boîte**) [contrairement à **boiter, boiterie, boiteux,** qui sont d'origine différente].

embonpoint n. m. Un des rares cas où l'*n* devant le *p* ne soit pas remplacé par un *p*. (Cas semblable : *nonpareil[le]*.)

émeraude n. FÉMININ (d'une pierre précieuse d'un vert bleuté). *De belles émeraudes.* • Le n. repris en apposition ou comme adj. de couleur est alors INVAR. : *les eaux émeraude du lac Kivu.*

emmitoufler v. tr. Deux *m*, un seul *f*. Prononcer « an ».

emplâtre n. MASCULIN. Noter le genre, et l'acc. circ.

emporte-pièce n. MASCULIN. Au plur., ou bien invar. (*des emporte-pièce*) ou bien accord du second élément (*des emporte-pièces*).

encablure n. f. Pas d'acc. circ. sur l'*a*, bien que ce mot dérive de **câble,** qui en a un.

encaustique n. f. Noter le genre.

encombre n. MASCULIN. Touj. au SING. dans la loc. *sans encombre,* contrairement à *sans ambages,* touj. au plur.

endroit n. m. Au PLUR. dans la loc. *par endroits.*

enfant n. C'est le type de vocable épicène, c'est-à-dire à la fois masc. et fém. : *un bel enfant, une enfant studieuse.* • Le composé *petits-enfants* (tr. d'union) [= enfants des enfants] est exclusivement PLUR.

énième adj. num. et n. En abrégé : n^e.

enjôler v. tr. Acc. circ. sur l'*o* (*idem* pour les dér.). Bien qu'issu du mot **geôle,** n. m., s'écrit avec un *j*.

enrubanné(e) adj. et part. passé du v. tr. **enrubanner** (= garnir de rubans). Il faut deux *n*, contrairement à **rubaner,** part. passé **rubané(e),** qui a le même sens mais n'en prend qu'un.

enseigne n. FÉMININ (= panneau, emblème, drapeau, marque, symbole, etc.). • N. MASCULIN au sens de *porte-enseigne*, et dans les acceptions qui en découlent (= officier de marine). *Une enseigne de cabaret* ; *un enseigne de vaisseau*.

entrefaites n. f. plur. : élément de l'expr. *sur ces entrefaites* (= juste à ce moment).

entrelacs n. m. invar. Prononcer : « entrelà ». Ni le *c* ni l'*s* ne se prononcent. Touj. un *s* final au sing. comme au plur.

envi (à l') loc. adv. Ne pas écrire « à l'envie ». (Le sens est : « autant qu'il se peut », « à qui mieux mieux ».)

enzyme n. féminin. *Des enzymes gloutonnes*.

épître n. f. Acc. circ. sur l'*i*.

ermitage n. m. Ne prend plus d'*h* initial (autref. *hermitage*).

ermite n. m. Ne prend plus d'*h* initial, sauf dans la réédition d'anciens textes (ainsi que dans l'Hermite, personnage du tarot utilisé pour la divination). On écrit encore parf. *bernard-l'hermite*, n. m. invar. (= pagure), mais plus souvent *bernard-l'ermite*.

errata n. m. INVAR. (plur. du lat. *erratum* = faute). Série d'erreurs.

erroné(e) adj. Deux *r*, comme dans *erreur*, et un seul *n*.

ès prép. Contraction archaïque de *en les*. *Se promener ès bois* : *se promener dans les bois*. Du fait de son origine plurielle, *ès* ne peut EN AUCUN CAS se placer devant un nom au singulier. Ex. : *docteur ès lettres, ès sciences* ; *intervenir ès qualités* (ne jamais écrire : « ès qualité », qui serait une faute majeure).

escarpe n. FÉMININ (= talus fortifié) ; n. MASCULIN (= voyou).

espèce n. f. Il faut touj. accorder au FÉMININ n'importe quel article indéfini ou adj. démonstratif qui PRÉCÈDE le mot *espèce*. Ex. : *une espèce de magnolia, cette espèce de truand*. Ne pas dire : « un espèce de truand », sous prétexte que *truand* est un mot masculin ; ne pas écrire : « cet espèce d'énergumène », pour le même motif.

essai n. m. Reste au SING. dans les expr. : *ballon d'essai, banc d'essai, bouts d'essai, cinéma d'essai, pilotes d'essai*.

état-major n. m. Plur. : *des états-majors* ; *le Haut État-Major*.

étau n. m. Plur. : *étaux*.

44

etc. Abrév. usuelle pour *et cetera* (ou *et cætera*), loc. adv. lat. (= et la suite). Avec un point abréviatif, SANS POINTS DE SUSPENSION.

éternuement n. m. Attention à l'*e* intérieur renforçant l'*u*.

ex- Au sens de : « ancien », se lie par un tr. d'union : *Un discours de l'ex-président.* • Dans les emprunts au lat., *ex* ne se lie par un tr. d'union que si la loc. est substantivée : *un ex-libris, un ex-voto.* • Les loc. adv., elles, s'écrivent sans tr. d'union et se composent, en principe, en caractère différent quand on considère qu'elles ne sont pas encore francisées complètement : *intervenir* ex abrupto ; *parler* ex cathedra, etc. Cet usage est en voie de disparition : ainsi, on ne met plus *ex aequo* en italique dans un texte en romain (ou en romain dans un texte en italique) : *ils ont été classés septièmes ex aequo.*

ex aequo loc. adv. et n. m. invar. Sans tr. d'union. Le *a* et le *e* ne sont pas collés.

excellemment adv. L'*e* qui suit les deux *l* se prononce « a ».

exigu adj. Au fém., le tréma se met sur l'*e* : **exiguë** (comme dans *ciguë*).

exorbitant(e) adj. S'écrit sans *h*, la racine étant *orbite*, n. f.

expédient(e) adj. (= opportun). Noter la différence orthographique avec **expédiant**, part. prés. du v. tr. *expédier.* • N. m., surtout usité au plur. : *vivre d'expédients.*

express adj. et n. m. INVAR. *Des trains express, une rame express, la voie express.*

expressionnisme n. m. Deux *n*, et idem dans **expressionniste**, n. et adj.

exterminer v. tr. Ne pas dire : « exterminer jusqu'au dernier », car *exterminer*, c'est massacrer sans laisser de survivant.

extravagant(e) adj. S'écrit sans *u*, contr. au part. prés. du v. intr. extravaguer : *Il pérorait en extravaguant.*

exubérant(e) adj. Pas d'*h*. *Idem* pour **exubérance**, n. f.

exutoire n. MASCULIN. Noter le genre.

ex-voto n. m. INVAR., extrait d'une loc. lat. Tr. d'union.

F

fabricant(e), n. Le part. prés. **fabriquant** a donné naissance au subst. *fabricant(e)*, qui prend un *c* à la place de *qu* (contrairement à *trafiquant*, qui garde *qu* en se substantivant).

façon n. f. Au SING. dans l'expr. : *de toute façon* ; au PLUR., écrire : *de toutes les façons*. • L'expr. *de façon que...* est aussi correcte et plus concise que : *de façon à ce que...*

fantôme n. m. Acc. circ. sur l'*o*, contrairement à **fantomal(e, es, aux), fantomatique, fantomatiquement.**

faon n. m. Prononcer « fend ».

fatigant(e) adj. En s'adjectivant, le part. prés. **fatiguant** perd l'*u* que le v. *fatiguer* garde dans toute sa conjugaison.

fauve n. m. et adj. • En tant qu'adj. de couleur, varie : *des soies fauves.*

fort(e) adj. AVEC tr. d'union : *coffre-fort*, n. m. ; *eau-forte*, n. f. • SANS tr. d'union : *chambre forte*, n. f. ; *château fort*, n. m. • Sont invar. les expr. : *se faire fort de* (ex. : *Jeanne se fait fort de m'aider*) ; *se porter fort* (= se porter garant ; mais *se porter garant* est variable : *elle se porte garante*).

fou adj. Fém. : *folle*. Devant une voyelle ou un *h* muet, un *l* remplace l'*u* : *un fol espoir.*

foudre (du lat. *fulgur*) n. FÉM. (= météore électrique). • N. MASC. : 1° Homme brillant ou redoutable (*foudre de guerre*) ; 2° Faisceau d'éclairs de Jupiter ; 3° Flammes du blason. • (De l'all. *Fuder*) N. MASC. : grand tonneau (*un foudre de marsala*). • Touj. au plur., n. FÉM. : blâmes (*les foudres de la loi*).

frais n. m. plur. N'a pas de sing. au sens de « dépenses », ce qui autorise par exception de mettre un *s* à *aucun* : *sans aucuns frais.*

frais adj. Fém. : **fraîche**. D'où le dér. **fraîcheur**, n. f. • Employé comme adv., s'accorde ou bien reste invar. : *des roses fraîches écloses, des fleurs frais cueillies.*

fraise n. f. L'adj. de couleur est INVAR. : *des écharpes fraise.*

framboise n. f. L'adj. de couleur est INVAR. : *des cols framboise.*

fringant(e) adj. Pas d'*u*, contr. à **fringuant**, part. prés. du v. tr. *fringuer* (= habiller).

fruste adj. Attention ! Ne pas écrire (ou prononcer) « frustre », par attirance de **frustré(e)**, part. passé du v. **frustrer**, et aussi de l'adj. et n. m. **rustre** (car un *rustre* est *fruste* !).

fuchsia n. m. (prononc. « fuchia », ou « fuksia », ou encore « fouksia »). Du n. du botaniste all. *Fuchs.*

funèbre adj., **funéraire** adj. L'usage seul décide de l'emploi de ces deux adj. exactement syn. On dit : *cérémonie funèbre, éloge funèbre, les pompes funèbres* ; mais : *monument, urne funéraires.*

funérailles n. f. plur. Comme *obsèques*, pas de sing.

fût n. m. 1° Tonneau ; 2° Élément d'architecture. • Acc. circ., qu'on ne retrouve dans AUCUN des mots commençant par ces trois lettres, qu'ils soient ou non dér. de *fût* : **futaie, futaille, futaine, futée** (= mastic), **futé** (= rusé), mais qui reparaît dans les dér. de *fût* dotés d'un préfixe (**affût, affûtage, affûtiaux,** etc.), sauf **raffut** (= bruit insolite).

G

gâcher v. tr. Noter l'acc. circ. sur l'*a*, qui apparaît également dans les dér. **gâchage**, n. m., **gâche**, n. f. (outil du plâtrier ou du pâtissier), **gâcheur(euse)**, n. et adj., et **gâchis**, n. m.

gâchette n. f. Avec un acc. circ. ; la gâchette est une pièce INTÉRIEURE du mécanisme d'une arme à feu, solidaire de la *détente* (voir ce mot) : on n'appuie donc pas « sur la gâchette » lorsque l'on fait feu. On doit dire : *appuyer sur la détente, presser la détente.*

gadget n. m. Américanisme... qui viendrait du français. Plur. : *gadgets.* On prononce : « gad-jett ».

gageure n. f. Doit être prononcé « gajure ».

gagne- élément de n. comp. *Gagne-pain* et *gagne-petit* sont deux n. m. invariables. • En revanche, *gagne-denier*, n. m., prend la marque du plur. : *des gagne-deniers* (le premier élément restant invar.).

gaiement adv. On n'écrit plus « gaîment ».

gaieté n. f. Orthogr. contemporaine. L'orthogr. ancienne **gaîté** doit être observée uniquement, à Paris, pour la rue de la *Gaîté*, l'ancien théâtre de la *Gaîté-Lyrique* (avec deux majusc. et un tr. d'union), le théâtre de la *Gaîté-Montparnasse* et pour le cinéma *Gaîté*. Aussi : *Les Gaîtés de l'escadron*, de Courteline.

gaine n. f. Pas d'acc. circ. sur l'*i*. • *Idem* pour **gainer, gainerie, gainier, gainule** ; **dégaine, dégainer** ; **rengaine, rengainer**. Aussi pour **gaine-culotte** (plur. : *gaines-culottes*).

galette n. f. Un seul *l*.

gargote n. f. Un seul *t*.

garrot n. m. Deux *r*. • *Idem* pour **garrottage**, n. m., et **garrotter**, v. tr., qui en outre prennent deux *t*.

gâteau n. m. Ne pas omettre l'acc. circ. sur l'*a*. • Adj. invar. : *des grands-papas gâteau, des mamans gâteau*.

gaufre n. f. Un seul *f*. • *Idem* pour tous les dér. : **gaufrage**, n. m., **gaufrer**, v. tr., **gaufrette**, n. f., **gaufrier**, n. m., etc.

gaz n. m. invar. Hom. : **gaze**, n. f., « tissu très léger ».

gemme n. FÉMININ (pierre précieuse ; résine du pin) et adj. (*du sel gemme*).

gène n. m. Acc. grave.

gêne n. f. Les dér. **gênant(e), gêneur(euse)** conservent l'acc. circ. • Noter que **Gênes** s'écrit avec un acc. circ. mais que **Génois(e)**, et **génoise** (gâteau), s'écrivent avec un acc. aigu.

genou n. m. Plur. en *x* : *genoux*.

gens n. m. ou f. plur. L'adj. épithète qui SUIT *gens* se met au masculin : *des gens courageux*. • L'adj. épithète qui PRÉCÈDE immédiatement *gens* se met au féminin : *de vieilles gens, de bonnes gens*. • Si plusieurs adj. se suivant immédiatement PRÉCÈDENT directement *gens*, ils se mettent tous au masc. si le dernier d'entre eux se termine par un *e* muet aussi bien au masc. qu'au fém. : *de* *faux honnêtes gens, tous ces heureux braves gens* ; mais si le dernier de ces adj. a une forme masc. différente de la forme féminine, tous les adj. se mettent au fém. : *certaines petites gens, de bonnes vieilles gens*. • Si les adj. qui précèdent *gens* en sont séparés par d'autres mots, ils se mettent au masc. : *heureux les gens sans scrupules !* ; *annoncés par une lettre de leur protecteur, ces bonnes gens sont venus me voir*. • Les adj. attributs et les participes (avec un temps composé) se mettent TOUJ. au masc. : *ces gens sont idiots, ces vieilles gens sont naïfs*. • Avec *tous* : on emploie le masc. lorsque *tous* précède immédiatement *gens* et que ce nom est suivi d'un qualificatif : *tous gens fort sérieux, ma foi...* ; également au masc. quand il précède *gens* et qu'il en est séparé par un déterminant (*tous ces gens*) ou par un adj. qui se termine par un *e* muet aussi bien au masc. qu'au fém. : *tous ces braves gens, tous les honnêtes gens* ; mais c'est *toutes* qui doit être employé quand l'adj. situé devant *gens* a une forme masc. différente de la forme fém. en *e* muet : *toutes ces vieilles gens*. • Le respect des règles grammaticales conduit donc à écrire des phrases telles que : TOUTES *ces* BONNES *gens sont bien* NAÏFS ! • Les expr. *gens d'Église, gens de robe, gens de lettres*, etc., entraînent le genre masc. pour tous les adj. : *d'heureux gens de lettres, de nombreux gens de robe...* • *Jeunes gens* est du masc. : *d'heureux jeunes gens* (*... quand bien même y aurait-il en leur sein plusieurs jeunes filles*).

gentilhomme n. m. Plur. : *des gentilshommes*.

geôle n. f. Acc. circ.sur l'*o*. • *Idem* pour **geôlier(ère)**, n.

gibier n. m. On écrit : *le gibier à poil, à plume* (au sing.).

gigoter v. intr. Un seul *t*.

girofle n. f. Un seul *f*. • *Idem* pour **giroflée**, n. f., **giroflier**, n. m.

girolle n. f. Champignon appelé aussi *chanterelle*. • Ne pas confondre avec *girelle*, n. de poisson.

gîte n. m. (1° abri, chez-soi... ; 2° morceau de bœuf) ou fém. (inclinaison d'un navire). Acc. circ. dans tous les cas.

glu n. f. Pas d'*e* final.

gnome n. m. Pas d'acc. circ. sur l'*o*, mais on prononce un *o* fermé.

golf n. m. Sport. • À distinguer de **golfe**, n. m. (grande baie), qui prend un *e* final.

grand(e) adj., n. ou adv. • Dans son emploi adverbial, *grand* présente la particularité de s'accorder, généralement, avec l'adj. ou le part. qui suit : *des portes grandes ouvertes, avoir les yeux grands ouverts.* • La place de *grand* adj. modifie le sens de l'expr. : *un homme grand* (= de haute taille) n'est pas forcément *un grand homme* (= un homme éminent). • *Grand* forme le premier élément de n. comp. 1° Dans les composés masculins, les deux éléments prennent la marque du pluriel : *un grand-oncle, des grands-oncles* ; *un grand-père, des grands-pères*, etc. 2° Pour les composés féminins, dont *grand*, sans *e* final, constitue le premier élément, l'usage est flottant, et on admet désormais un *s* final à *grand* ; cette forme du pluriel est facultative, mais correcte quand bien même continuerait-on à considérer comme meilleur l'usage ancien. On peut écrire : *des grand-mères* ou *des grands-mères* ; *des grand-tantes* ou *des grands-tantes* ; etc. • L'orthogr. avec une apostrophe (*une grand'mère*) est abandonnée.

grappe n. f. Deux *p*. • *Idem* pour : **grappeler**, v. tr., **grappillage**, n. m., **grappiller**, v. tr. et intr., et les autres dér.

gré n. m. On écrit : *bon gré mal gré* (sans virgule, et *mal gré* en deux mots).

grenat n. m. et adj. inv. On écrit : *Les grenats ornant ce collier valent une fortune ; les grenats profonds de ce tableau font paraître fades les orangés délavés.* • *Des vestes grenat, des pantalons grenat.*

grésil n. m. Grêle fine. • Ne pas confondre avec **crésyl**, n. m., produit désinfectant.

gril n. m. Se prononce « gri » ou « gril' ». • Mais il faut écrire avec deux *l* : *grill-room* (plur. : *grill-rooms*).

grille-pain n. m. INVAR.

groseillier n. m. Ne pas oublier le second *i*.

gueule n. f. Premier élément de plusieurs n. comp. (*gueule-de-loup, gueule-de-raie...*), tous féminins. Au plur., seul *gueule* varie : *des gueules-de-loup.* • Autres mots comp. : *amuse-gueule*, n. m. (invar. ou *s* final au plur.) ; *brûle-gueule*, n. m. (invar. ou *s* final au plur.) ; *casse-gueule*, adj. et n. m. invar.

H

habileté n. f. « Adresse, caractère de ce qui est habile. » • Ne pas confondre avec **habilité**, n. f. (par ailleurs part. et adj. : « *être habilité pour...* »), qui désigne une aptitude légale (terme de droit).

hache n. f. Pas d'acc. circ. sur l'*a*. • *Idem* pour les dér. **hachage**, n. m., **haché**, n. m., **haché(e)**, adj., **hachette**, n. f., **hachis**, n. m., **hachoir**, n. m., etc.

haillon n. m. Pas d'acc. circ. sur l'*a*. • Au plur. dans : *être en haillons*. • Hom. : **hayon**, n. m., panneau ou porte arrière d'une charrette ou d'une automobile.

haler v. tr. « Remorquer, tirer ». Pas d'acc. circ., contr. à **hâler**, v. tr., « bronzer ».

haltère n. MASCULIN : *de lourds haltères.* L'*h* est muet et l'on élide : *l'haltère de droite.*

handball n. m. Collé sans tr. d'union, comme *football*. À la différence de ce dernier mot, la dernière syllabe de *handball* se prononce « bal' » (et non « baul »), car le mot vient de l'allemand.

haut(e) adj. (*une haute fonction*), n. m. (*le haut du mur*) et adv. (*être haut placé, parler haut* ; « *Haut les mains !* »). • On écrit : *là-haut*, avec tr. d'union, mais : *en haut*, sans tr. d'union. • Deux majusc. sans tr. d'union dans : *la Haute Cour (de justice), la Haute Assemblée* (= le Sénat). • Pour les noms géographiques (entités territoriales, historiques, divisions administratives, etc.) : *La Haute-Normandie, la haute Seine, la Haute-Égypte* (ou : *la haute Égypte*)..., *haut(e)* prend une majuscule et est relié par un tr. d'union au nom qui le suit SEULEMENT quand il s'agit d'une division politico-administrative.

hâve adj. Le *h* est aspiré ; acc. circ. sur l'*a*.

havre n. m. Pas d'acc. circ. (il en est de même pour *Le Havre*). Le *h* est aspiré.

hémorragie n. f. Deux *r* ; pas de *h* après ces deux *r*. « Hémorragie de sang » est un grossier pléonasme à éviter !

héraldique n. et adj. FÉMININ. L'*h* est muet.

hère n. m. Ne subsiste plus que dans l'expr. *pauvre hère* pour désigner un homme misérable. • Par ailleurs *hère* est le nom d'un jeune cerf (qui a plus de six mois, mais non encore daguet).

hibou n. m. Le *h* est aspiré. Plur. : *hiboux*.

hiéroglyphe n. MASCULIN. L'*h* est muet.

hindou(e) adj. et n. La graphie **indou(e)** est très vieillie. S'est dit pour désigner ou qualifier les habitants de l'Inde ; dans ce sens, on emploie aujourd'hui *indien(ne)*, qui s'écrit avec un *I* majusc. pour le nom propre (*les Indiens*), et l'on réserve *hindou(e)* au sens religieux relatif à l'hindouisme. Substantivé, *hindou* s'écrit sans majusc., puisque les termes désignant les adeptes de telle ou telle religion sont des noms communs : *les protestants, les juifs, les musulmans, les chrétiens, les catholiques, les taoïstes...*

homme n. m. Le compl. de nom est au sing. dans : *homme(s) de paille, homme(s) de main, homme(s) de parole*, etc. Au plur. dans : *homme(s) d'affaires* et *homme(s) d'armes*. • *Homme* constitue le premier élément de plusieurs mots composés masc., qui prennent tous le double plur. : *des hommes-grenouilles, des hommes-morts, des hommes-orchestres, des hommes-sandwichs* (pluriel français, qu'il faut préférer au franglais *des hommes-sandwiches*), *des hommes-serpents, des hommes-troncs*. • Exception : *un homme-canon, des hommes-canon* (voir à *canon 2*). • Bien distinguer *un brave homme* (= un homme bon) d'*un homme brave* (= un individu courageux).

honoraires n. m. Toujours au plur. Un seul *n*.

hôte n. m. Attention ! ce mot a deux sens ! En effet, il désigne à la fois celui qui reçoit, qui donne l'hospitalité, et celui qui est reçu, qui est hébergé. Curieusement, l'ambiguïté n'existe pas au fém., où **hôtesse** ne désigne que la maîtresse de maison, l'**hôte**lière, etc., et ne s'applique pas à l'invitée (dans ce sens, on dit : *une hôte*).

huis n. m. On élide l'article : *l'huis est ouvert* • sauf... dans l'expr. *huis clos* : *La cour a prononcé le huis clos*. • Élision pour : l'**huis**serie, l'**huis**sier (ne pas dire : « le huissier »).

huître n. f. Acc. circ. sur l'*i*. L'initiale est muette.

hydrau-, hydro- éléments (= eau) de mots composés. Commencent par *hydrau-* : *hydraule*, n. f. (« ancêtre » de l'orgue) ; *hydrau-licien(ne)*, n. ; *hydraulique*, adj. • Tous les autres mots où se trouve cette consonance commencent par *hydro-* : *hydrogène*, *hydrologie, hydrothérapie*, tous sans tr. d'union, même devant une voyelle : *hydroélectricité.*

hymne n. MASCULIN : *L'hymne national* ; n. FÉMININ (uniquement pour des chants liturgiques) : *Léon XIII composa de nouvelles hymnes.* Mais des hymnes protestants.

hyper- (grec *huper* = au-dessus). Les mots construits avec *hyper* s'écrivent sans tr. d'union : *hyperémotivité, hyperglycémie, hypermarché, hypersensible, hypervitaminose,* etc.

hypnotiser v. tr. Surtout ne pas dire « hynoptiser » !

hypoténuse n. f. Pas d'*h* derrière le *t.*

I

icône n. f. Quelle que soit la signification, acc. circ. sur l'*o*, mais TOUS ses dér. en sont dispensés : **iconoclaste, iconographie, iconolâtre,** etc.

idiome n. m. Pas d'acc. sur l'*o*, bien qu'il se prononce aussi appuyé que dans *dôme*, qui en prend un.

idiot adj. Fém. : **idiote** (un seul *t*). Dans le dér. **idiotie,** n. f., le *t* se prononce « ss ».

île n. f. Acc. circ. sur l'*i*. On le retrouve dans les dér. **îlien(ne),** adj. et n. (= insulaire, notamment sur la côte ouest) [parf. avec un *l* majusc. pour désigner les habitants de l'île aux Moines, des îles de Sein, d'Yeu, etc., bien que ces lieux aient leurs ethnonymes propres] ; **îlot,** n. m. (ne pas écrire « ilôt » !).

illusionnisme n. m. **illusionniste** n. Deux *l*, deux *n*.

imposteur n. m. N'a pas de féminin.

imputrescible adj. Noter le groupe *sc*.

inclinaison n. f., **inclination** n. f. On doit dire *l'inclinaison d'un sol, d'un toit*, etc., c'est-à-dire « la pente ». C'est l'état de ce qui est incliné, déclive. Mais on doit dire : *une inclination de tête*, le mouvement du chef pour opiner. *Inclination* a aussi l'acception de « sentiment » : *avoir de l'inclination pour quelqu'un, pour un art, une idéologie*, etc.

incoercible adj. L'*o* et l'*e* ne sont pas liés.

indou(e) Voir *hindou(e)*.

inénarrable adj. Aucun *n* n'est doublé, mais le *r* l'est.

infâme adj. Seul mot de la famille à prendre un acc. circ. sur l'*a*. • Sans acc. : **diffamer**, v. tr. ; **fameux(euse),** adj. ; **infamie,** n. f.

infarctus n. m. Surtout, ne pas dire « infractus ».

ingénierie n. f. A remplacé l'anglicisme *engineering*.

ingénument adv. Pas d'*e* après l'*u*, ni d'acc. circ.

inouï(e) adj. Tréma sur l'*i*, aussi sur le dér. **inouïsme,** n. m.

interpeller v. tr. Attention au deux *l* (prononcer « pelé ») ! Conjug. : *nous interpellons* (contr. à *appeler* : *nous appelons*).

intervalle n. m. Touj. au plur. dans : *par intervalles*.

interlude n. MASC. Noter le genre.

intrigant(e) n. et adj. Le part. prés. **intriguant** perd son *u* quand on l'adjective ou on le substantive : *un(e) intrigant(e)*, *un aspect intrigant*.

irascible adj. Noter le groupe *sc*. Un seul *r*, comme dans **ire,** n. FÉM. (= colère), et contr. à **irritable, irritabilité, irriter,** etc., qui en prennent deux. (*Irascible* et *irritable*, malgré l'analogie de leurs acceptions, sont issus de racines différentes.)

ivoire n. MASC. Noter le genre. • L'adj. de couleur est INVAR.

ivre adj. des deux genres. *Ivre(s) mort(s), ivre(s) morte(s)*, s'écrivent sans tr. d'union.

J

jade n. MASC. Le nom de pierre (*un collier de jade*) s'étend aux objets (*des jades bien ouvrés*). • L'adj. de couleur est INVAR. : *les feuilles jade du muguet.*

jais n. m. Il faut dire : *noir comme du jais* (variété de lignite) et non « noir comme un **geai** », cet oiseau ayant un plumage gris, avec du marron, du bleu et du blanc.

jambe n. f. Il faut dire : *les jambes* d'un cheval, non « les pattes ». • Au SING. : *à mi-jambe, un entrejambe* (*s* au plur.), *faire des ronds de jambe.* • *Au* PLUR. : *un jeu de jambes, courir à toutes jambes.* • Un *croc-en-jambe,* des *crocs-en-jambe* (prononcer « krokan »).

jaune n. m. On écrit : *des jaunes clairs ; des jaunes d'œufs.* • Adj. de couleur : *des robes jaunes,* mais *des robes jaune clair, jaune d'or ; des papiers jaune serin.*

jeun (à) loc. adv. Pas de tr. d'union ni d'acc. • En revanche, acc. circ. sur l'*u* de **jeûne**, n. m. ; **jeûner**, v. intr. ; **jeûneur(euse)**, n. (mais non de **déjeuner**, n. m. et v. intr.).

joujou n. m. Plur. en *x* : *de beaux joujoux.*

jusque prép. conj. L'*e* s'élide touj. devant une voyelle. La forme archaïque *jusques* évite seule cette élision dans quelques cas d'usage : *jusques à quand, jusques et y compris,* ou par préciosité : *jusques à demain.* • On écrit : *jusqu'aujourd'hui* ou *jusqu'à aujourd'hui* ; la première forme, moins usitée, est meilleure, l'autre étant pléonastique : (*au-* = à le). • Tr. d'union à : *jusque-là.* • *Jusqu'à ce que* doit être suivi du subj. : *jusqu'à ce qu'il ait compris.* • Dérivé : *jusqu'au-boutisme,* n. m. ; *jusqu'au-boutiste,* n. et adj. Au plur. un *s* final au dernier élément.

K

kaki n. m. (= fruit du plaqueminier) : *manger des kakis.* • Couleur : *des treillis kaki* ; en ce sens, n. et adj. INVAR.

kinésithérapeute n. Bien noter la place de l'unique *h*. L'élément préfixal *kiné-* vient du gr. *kinêsis*, « mouvement ».

krach n. m. (= débâcle financière). Prononcer, à la française, « krak ». Plur. en *s* : *des krachs.*

kraft n. m. Mis en apposition, reste invar. : *des papiers kraft.*

L

là adv. Ne pas oublier l'acc. grave sur l'*a*. Tr. d'union dans *là-bas, là-dedans, là-dessous, là-dessus, là-haut*, ainsi que dans les expr. *par-ci, par-là* et *de-ci, de-là. Idem* pour *jusque-là.*

labyrinthe n. m. Noter l'orthogr. • Majusc. lorsqu'il s'agit de la demeure du Minotaure, en Crète, ou des ruines du temple de la pyramide d'Amenemhat III, dans le Fayoum.

lacet n. m. On écrit, sans *s* final : *une route en lacet* (cette route présente de nombreux tournants, zigzags, mais elle ne constitue qu'un seul ruban d'asphalte, de goudron, etc.).

lacs n. m. Ce mot, qui prend un *s* même au singulier, est de la famille de *lacet*. Il se prononce « lâ » ou « la », le *c* et le *s* étant muets (comme dans *entrelacs*) ; il désigne un cordon, un collet de chasseur ou de braconnier. • Le sens de l'expr. *tomber dans le lacs* est donc : « tomber dans le piège, donner dans le panneau, être pris au piège... ». • Si *lacs* est utilisé au pluriel, le sens peut s'en trouver modifié, et signifier : « être victime des ruses de quelqu'un ».

laïc adj. et n. m., **laïque** adj. et n.f. • Au masc., la forme *laïque* s'impose de plus en plus dans l'emploi adj. : *des militants laïques* ;

l'enseignement laïque, au détriment de *laïc*, qui reste une graphie licite. • En tant que subst., c'est encore la forme *laïque* qui, dans l'acception moderne (partisan de la laïcité, indépendant de toute opinion confessionnelle), prédomine sans conteste dans les médias, dans l'usage contemporain en général, alors que *laïc* est confiné dans des sens « historiques » : *les clercs et les laïcs*.

laisser-aller n. m. invar. Deux terminaisons en *er*.

laisser-faire n. m. invar. Noter la finale *er* de *laisser*.

laissez-passer n. m. invar. Noter l'orthogr. de *laissez* (= impératif).

lambeau n. m. Touj. au plur. dans l'expr. *mettre* [...] *en lambeaux*.

landau n. m. Plur. : *landaus*, avec un *s*.

lapider v. tr. Ne pas dire « lapider à coups de pierres », ce serait commettre un pléonasme.

laurier n. m. Entre comme premier élément dans plusieurs n. comp. (d'arbres, d'arbustes). • Au plur., les deux éléments s'accordent : *laurier-cerise (lauriers-cerises), laurier-rose (lauriers-roses), laurier-tin (lauriers-tins)*. Exception : *laurier-sauce*, dont seul le premier terme varie : *des lauriers-sauce*.

lavande n. f. Touj. invar. quand il est adj. de couleur (*des polos lavande, des jupes bleu lavande*).

leasing n. m. (anglicisme). Plur. : *leasings*. Équivalent français : *location-vente* (voir ce mot), *crédit-bail*.

ledit adj. S'écrit en un seul mot, ainsi que son fém. *ladite* et que le plur. *lesdits* (*lesdites*). On écrit : *la susdite belle-mère* (et non « lasusdite »), *le susdit locataire*.

legs n. m. Touj. avec *s* final. La prononciation originale était « lè », mais les dict. entérinent maintenant la prononciation usuelle « laigue ».

leur pron. pers. Toujours inv. (*je leur donnerai des vêtements*). Ne pas confondre avec *leur(s)*, adj. poss. var. : *Ils comparent leurs souvenirs de jeunesse*. • En principe, il faut écrire : *Ils prirent leur* (au sing.) *chapeau*, chacun de ces personnages possédant un seul chapeau.

logarithme n. m. Un *i*, et non un *y*.

logorrhée n. f. Noter le groupe *rrh*.

lorsque conj. On élide généralement devant : *il(s), elle(s), en, on, un, une.* La plupart des dict. mentionnent l'élision devant ces six mots (il y a des désaccords sur *en*) ; quelques lexicographes y ajoutent un ou d'autres mots : *avec, ainsi, enfin, aussi.*

M

macaroni n. m. (plur. italien). Plur. francisé : *macaronis.*

mâcher v. tr. Ce mot et tous ses dér. s'écrivent avec un *â.*

machette n. f. Grand couteau, sabre d'abattis. Pas d'acc. sur l'*a.*

maestria n. f. (mot italien). Pas de tréma sur l'*e.*

maestro n. m. (mot italien). Pas de tréma sur l'*e.* Plur. : *des maestros.*

magasin n. m. Un *s* et non un « z ».

magazine n. m. Avec un *z* (c'est un mot anglais), contr. à *magasin.*

magma n. m. Pas d'*s* final.

magnum n. m. Bouteille équivalant à 1,5 litre. Prononciation : « mag'nom' ». Plur. : *magnums.*

maison n. f. On écrit, sans tr. d'union : *une maison mère.* • Compléments au sing. dans : *des maisons d'arrêt, de jeu, de retraite.* • Employé en apposition (reste invar. dans ce cas) : *des tartes maison, des spécialités maison.* • Au sing. dans : *des gens de maison.*

majorité n. f. Quand ce mot est suivi d'un complément du nom, on peut accorder soit au singulier, soit au pluriel : *la majorité des habitants possèdent un animal domestique ; la majorité des Français s'est prononcée contre le travail du dimanche.*

malgré prép. La loc. conj. *malgré que* au sens de « quoique » est encore contestée par des puristes ; l'expr. *malgré qu'on en ait* (= quelque mauvais gré que...) est seule admise sans opposition. Le subj. est obligatoire.

mamelle n. f. Un seul *m* médian. • Les dérivés prennent les uns un seul *m* – **mamelon, mamelu(e)**, entre autres –, les autres deux (les plus usuels : **mammaire, mammifère, mammite**).

manchot(e) n. et adj. Qui n'a qu'un bras (parfois : qui a perdu une main). Au fém., le *t* n'est pas doublé : *une manchote.*

mange-tout n. et adj. m. invar. *Des mange-tout* (variété de haricots, de pois) ; *des haricots mange-tout.* La graphie *mangetout*, plus rare, est licite.

mappemonde n. f. Ne peut désigner qu'une carte plane représentant la Terre (soit en deux hémisphères, soit en un tout), et non point un globe terrestre.

maraîcher(ère) n. et adj. Acc. circ. sur l'*i*, le mot dérive de *marais*, n. m., qui, lui, s'écrit sans acc. circ.

marche n. f. Ne pas dire « marche à pied » (pléonasme !).

marmite n. f. Un seul *t*. En Belgique, *marmite à pression* (autocuiseur).

marmotte n. f. Deux *t*. Idem pour **marmotter.**

marocain(e) adj. et n. (avec majusc., dans ce cas). *Des villages marocains* ; *de belles Marocaines.* • Hom. : **maroquin**, n. m., peau tannée ; par extension, portefeuille de ministre : *avoir le maroquin des Affaires étrangères.*

maronner v. intr. (fam.). *Rager en maronnant.* Un *r* et deux *n*.

marotte n. f. Un *r*, deux *t*.

marqueterie n. f. Un seul *t*.

marri(e) adj. Contrarié, penaud, affligé. Deux *r*, au contraire de l'hom. **mari**, n. m.

marron n. m. Est invar. quand il est employé comme adj. de couleur : *des blouses marron.* • Mais, quand il est substantif au sens de « couleur », le mot varie : *Ces marrons se marient bien.* • L'expr. *tirer les marrons du feu* signifie EXCLUSIVEMENT : « agir de telle sorte que tout le profit en soit pour autrui » (et n'est absolument pas synonyme de « tirer son épingle du jeu »). • Dér. : **marronnier**, deux *r*, deux *n*. • Hom. : **marron**, adj. (fém. : **marronne**, deux *r*, deux *n*), qui qualifiait, autrefois, un esclave en fuite. De nos jours, s'applique à un professionnel clandestin (*médecins marrons*) ou véreux (*avocates marronnes*).

martyr(e) n. et adj. Désigne celui ou celle qui subit ou a subi *un martyre* (n. m., touj. avec un *e* final). • Bien dire et écrire : **martyrologe** (liste des martyrs), et non « martyrologue », par attraction de *catalogue*.

m'as-tu-vu n. invar. Noter l'apostrophe et les deux tr. d'union : *Ces filles narcissiques sont d'incorrigibles m'as-tu-vu !*

match n. m. Plur. « français » : *matchs*.

mater v. tr. Vaincre, dominer, dresser. A pour hom. **mater**, v. tr. (qui se dit aussi **matir**, « rendre mat »), et pour quasi-hom. **mâter**, « doter d'un mât ou de mâts » (l'*a* est plus appuyé).

matin n. m. L'usage courant veut que ce mot reste au sing. dans des expr. comme : *tous les samedis matin, il y a cours tous les jeudis matin...*, parce qu'il s'agit d'une abréviation pour « *au matin* ».

mèche n. f. Acc. grave, et non acc. circ.

médaillier n. m. 1° Collection de médailles. 2° Meuble. Un *i* après les deux *l*. • Ne pas confondre avec **médaillé**, n. et adj. (= décoré).

média n. m. Acc. aigu. S'est imposé dans le langage au sens de « support de diffusion de l'information », et qualifie donc : la presse, la télévision, la radio, la publicité, le livre, etc. Dans cette acception, on ne dit plus **médium** (mot latin francisé). Le plur. de *média* est : *médias*, « à la française ». • *Médias* a supplanté **mass media** (latinisme mâtiné d'anglais).

médium n. m. Acc. sur l'*e*. Est usité couramment dans d'autres acceptions que celle de *média* (en rhétorique, en musique, en peinture, et en spiritisme – en ce dernier domaine, le terme s'applique à l'un et l'autre sexe). Plur. : *médiums*.

méli-mélo n. m. Deux acc. aigus. Plur. : *des mélis-mélos*.

même 1° Adv., au sens de « jusqu'à, aussi, de plus, encore » (*même les plus expérimentés peuvent être trompés*). 2° Adj., au sens de « semblable, identique » (*le même bateau, les mêmes mots...*). 3° Pron. indéf. (*ce livre n'est pas si rare : j'ai le même*).
• Placé après un nom au plur., derrière plusieurs noms au sing., ou encore après un pron. autre qu'un pron. pers., *même(s)* peut légitimement être considéré soit comme un adv., soit comme un adj., et l'hésitation que l'on ressent dans bien des cas est tout à fait compréhensible.

• Moyens pratiques de distinguer le sens : si le mot ne peut pas être déplacé et mis devant le(s) nom(s) ou le pronom, c'est qu'il est adj., au sens d'« eux-mêmes » (*les plus penauds furent les auteurs mêmes de la plaisanterie ; il était le courage et l'honnêteté mêmes*) ; si le mot peut être déplacé, c'est en principe l'emploi adverbial qui l'emporte (*les Américains, les Australiens, les Chinois même produisent du vin* [= ... et même les Chinois] ; *les plus éminents savants même peuvent se tromper* [= même les savants les plus...]). Quand un auteur veut bien faire comprendre, sans déplacer le mot, qu'il s'agit de l'adv. invar., il fera intervenir la ponctuation, en mettant *même* entre deux virgules ou deux tirets : *Ses propos, même, ne les ont pas découragés* (alors que sans ponctuation on aura plutôt tendance à penser qu'il s'agit de l'adj. : *Ses propos mêmes ne les ont pas découragés*).
• *Même* se joint par un tr. d'union au pron. pers. qui le précède : *toi-même, lui-même, nous-mêmes, eux-mêmes* (accord en nombre normal, puisque, ici, *même* est adj. ; mais il reste au sing. quand *nous* est un pron. pers. de majesté ou de personnalisation [*vu et signé par nous-même, Othon III de Sysnovie, en notre château de [...] ; la crainte d'un dieu impitoyable réside au plus profond de nous-même*] ou *vous* un pron. pers. de politesse [*mais, vous-même, vous êtes un spécialiste de l'histoire médiévale*]).
• Il n'y a pas de tr. d'union avec un pron. dém. : *ceux-là même(s), à ce moment même...*, ni dans *ici même, par là même*.

mémento n. m. Mot latin, francisé : acc. aigu. Plur. : *des mémentos*. Prononciation : « mé-main-to ».

mémoire n. FÉMININ (sens usuel : *avoir une bonne mémoire*).
• N. MASCULIN (facture, note, étude : *Le mémoire de mon maçon est plutôt « salé » !* ; *Le professeur Berthier vient de présenter un mémoire étonnant sur l'influence de la Lune dans le domaine de la reproduction des cigognes*). • TOUJ. MASC. PLUR. quand il s'agit de souvenirs autobiographiques : *Les Mémoires de ce journaliste ont pour titre* Plume de canard.

mémorandum n. m. Acc. aigu sur l'*e*. Plur. : *des mémorandums*. On prononce : « mé-mo-ran-domme ».

mer n. f. Pas de tr. d'union à : *haute mer, pleine mer, mal de mer*.
• Pas de majusc. à *mer* dans les n. géographiques : *la mer Baltique, la mer Jaune, la mer Méditerranée, la mer Morte, la mer Rouge*, etc.

mi- Préfixe invar., est touj. joint au second élément par un tr. d'union : *mi-bas*, n. m. invar. ; *mi-carême*, n. f. (*des mi-carêmes*) ;

à mi-chemin, loc. adv. ; *à mi-corps*, loc. adv. ; *à mi-côte*, loc. adv., etc.

midi n. m. Le point cardinal s'écrit avec une minusc. : *villa exposée au midi*, mais avec une majusc. quand le mot désigne – sans complément – une région : *habiter dans le Midi*. • Le mot désigne aussi le milieu du jour : *il est midi !* ; *il est midi et demi* (*demi* s'accorde au masculin, sur le genre de *midi*).

mille adj. num. card. et n. m. invar. *Mille* est TOUJ. INVAR. (SAUF AU SENS D'UNITÉ DE LONGUEUR, VOIR CI-DESSOUS) : *dix mille francs, trois mille mètres, gagner des mille et des cents, ils étaient des dizaines et des dizaines de mille, la page deux mille*, etc. • Orthogr. traditionnelle : *l'an mil* (ou : *mille*) *neuf cent quatre-vingt-sept*. Mais : *l'an mille, l'an deux mille*. • Si *mille* est INVAR. quand, adj. num. substantivé, il est syn. de *millier*, c'est un n. m. VAR. dans ses différentes acceptions de mesures de longueur : *Le yacht avait parcouru une dizaine de milles* ; *la voie romaine se termine à 4 milles d'ici*. (Se méfier de la confusion entre les différents **milles** [terrestres, marins] et le **mile** anglo-saxon [qui peut être terrestre ou nautique, avec des valeurs distinctes] !)

million n. m. Il ne s'agit pas d'un adj. num. mais d'un subst. : le mot s'accorde donc touj. au plur. (*Vingt-cinq millions d'euros, cent millions de Japonais.*)

minerai n. m. Pas d'*s* final au sing.

minuit n. m. On écrit : *minuit et demi, minuit et quart, minuit quinze* (en toutes lettres).

mis à part loc. Lorsque *mis à part* est en tête de phrase, précède le nom, on fera ou non l'accord : *mis à part ces erreurs vénielles* (ou *mises à part ces erreurs vénielles...*) ; aucune hésitation à avoir si *mis à part* vient après le nom : l'accord s'impose (*ces erreurs vénielles mises à part...*).

moelle n. f. L'*o* et l'*e* ne sont pas liés. Ni acc. ni tréma sur l'*e*. *Idem* pour **moellon**, n. m.

mœurs n. f. plur. ; *o* et *e* liés. On prononce « meur » ou « meurss ».

mois Les noms de mois sont des noms communs, et s'écrivent donc sans majusc. initiale (*début mai* ; *nous sommes le 13 avril*), sauf dans les noms de fêtes – *le 14[-]Juillet a été célébré par de nombreux feux d'artifice* – et d'événements historiques où l'on ne mentionne pas le millésime : *la nuit du 4-Août*.

môme n. m. et f. Prend un acc. circ. sur l'*o*, ce qui n'est pas le cas de *momerie*, n. f.

monopole n. m. Éviter le pléonasme « monopole exclusif ».

mufle n. m., **muflier** n. m., **muflerie** n. f. Un seul *f*.

muséum n. m. Mot latin francisé : acc. aigu sur l'*e*. Plur : *des muséums*.

music-hall n. m. Plur. : *des music-halls*.

mutuellement adv. Ne pas associer ce mot avec des v. exprimant par eux-mêmes une idée de réciprocité (*s'entraider, s'entre-égorger, s'entre-déchirer, s'entre-dévorer...*), car ce serait commettre des pléonasmes. (À plus forte raison, éviter les doubles pléonasmes naïfs du type « s'entraider mutuellement les uns les autres ».)

mystifier v. tr. Tromper, berner, faire une farce en abusant de la crédulité d'autrui (*en déguisant ta voix, au téléphone, tu as bien mystifié tes parents !*). Paron. : **mythifier**, v. tr., dont l'acception est « conférer à qqn ou à qqch. le caractère d'un mythe » (*les membres du parti se sont bien repentis, quelque temps plus tard, d'avoir mythifié le secrétaire général*).

N

nacre n. FÉM.

naval(e, es) adj. Plur. masc. : *navals. Les chantiers navals.*

navigant(e) adj. et n. *Le personnel navigant, les navigants.* Pas d'*u*, contr. à **naviguant**, part. prés. du v. intr. *naviguer*.

ne dit « explétif ». Cette particule s'intercale après *que* par souci d'élégance et d'harmonie. Elle n'a pas de valeur négative. • Dans l'écrit, elle est obligatoire après les v. exprimant la crainte : *j'ai peur qu'il NE s'égare ; j'appréhende qu'on NE vous nuise* (autres v. : *craindre, redouter, trembler que*) ; ainsi qu'après *mieux que, moins que* et *plus que* : *il est plus riche que je NE pensais, j'ai mieux chanté* *que vous* NE *croyiez.* • Elle est recommandée après *à moins que* : *J'irai, à moins qu'il* NE *vienne* ; et avec le v. *douter* à la forme NÉGATIVE : *Je ne doute pas qu'elle* NE *vous plaise* (mais non à la forme affirmative : *Je doute qu'elle vous plaise*). • Le *ne* explétif est facultatif avec *empêcher* et *éviter* ; à proscrire avec le v. *risquer* ; inutilement précieux avec *avant que* et *sans que*. On peut l'employer avec *il s'en faut que...* et *n'avoir de cesse que...*, pourvu qu'aucune ambiguïté n'en résulte. – Il importe que, dans l'esprit du lecteur, nulle équivoque ne puisse l'induire en confusion avec le *ne* négatif.

net adj. Fém. : *nette.* Adverbialement : *parler net.* • Le pléonasme *clair et net, net et précis* (adj. ou adv.), est toléré à condition de n'en pas abuser. • *Net* est adv., donc invar., dans : *Il a reçu 5 000 euros net de commission* ; mais adj., donc var., dans : *Ses pourcentages nets se sont montés à 5 000 euros.* • On écrit : *10 % net.*

nid- premier élément de plusieurs n. comp., tous masc. : *nid-de-pie, nid-de-pigeon, nid-de-poule, nid-d'oiseau.* Au plur., ces mots ne prennent un *s* qu'à *nid* : *des nids-de-poule.*

noce n. f. Au sing. : *faire la noce.* Au plur. : *convoler en justes noces, épouser en secondes noces.* De préférence au plur. : *cadeau de noces, nuit de noces, repas de noces, voyage de noces.*

noisette n. f. Invar. quand il est employé comme adj. de couleur : *des yeux noisette.*

non adv. Parf. employé comme élém. négatif devant un autre mot : dans ce cas, le tr. d'union est : • OBLIGATOIRE devant un subst. : *la non-belligérance, une fin de non-recevoir, le point de non-retour, un non-inscrit,* etc. Les n. comp. formés avec *non* prennent un *s* final au *plur.* (*des non-fumeurs*), sauf *non-être* et *non-moi*, invar., et *non-lieu*, qui selon les uns prend un *x* et selon d'autres doit rester invar. du fait d'une ellipse : *[ordonnance(s) de] non-lieu* ; • De préférence EXCLU devant un adj. (bien que les dict. usuels l'admettent devant quelques adjectifs) : *un député non inscrit* (ou : *un député non-inscrit*), *un État non aligné* (ou : *un État non-aligné*), *les pays non belligérants* (ou : *les pays non-belligérants*), et devant un adv. : *non exclusivement.* • La loc. *non compris* reste invar. devant un n. : *non compris les dépenses fortuites*, mais s'accorde si elle vient derrière : *votre commission non* *comprise*. • Attention à ne pas employer la tournure « moi (toi, lui...) aussi » au lieu de *moi (toi, lui...) non plus*.

nu adj. On écrit : *jambe(s) nue(s), pieds nus, tête nue*, mais, avec tr. d'union et touj. invar. : *nu-jambes, nu-pieds, nu-tête*.

O

obélisque n. MASCULIN. Noter le genre.

obligeamment adv. Noter l'orthogr. ainsi que celle d'**obligeance**, n. f., et d'**obligeant(e)**, adj., qui, comme le part. prés. du v. *obliger*, gardent l'*a* • contr. à *négligent(e)*, adj., et à *négligemment*, adv., par exemple.

obstacle n. m. Au plur. dans : *course d'obstacles, saut d'obstacles*.

occurrence n. f. Noter l'orthogr. : deux *c*, deux *r*.

océan n. m. Touj. avec un *o* minusc. devant le ou les adj. : *l'océan Atlantique, l'océan Glacial Antarctique* (majusc. aux adj.). • Avec deux majusc. : *le Grand Océan* (l'océan Pacifique). • Par exception, avec majusc. au sens absolu : *l'Océan* (l'Atlantique), par opposition à la Méditerranée.

ocre n. f. (*des ocres délavées*) et adj. INVAR. de couleur : *les murailles ocre des bourgades sahariennes*. • Le n. est masc. au sens de « teinte » : *de beaux ocres pâles*.

octave n. FÉM. Noter le genre (le n. pr. *Octave* étant masc.).

oculiste n. et adj. (= *ophtalmologiste* ou *ophtalmologue* : médecin qui traite les maladies des yeux). Ne pas confondre avec **oculariste**, n. (= fabricant[e] de prothèses oculaires), ni avec **opticien(ne)**, n. (= personne qui fait ou vend des lunettes, des instruments d'optique). Un seul *c*.

office n. FÉM. (souvent usité au masc.) : lieu où l'on prépare le matériel pour la table. • N. MASC. dans toutes les autres acceptions : tâche, fonction, bureau, service, cérémonie religieuse.

oh ! interj. Toujours suivie d'un point d'exclamation, souvent répété en fin de phrase : *Oh ! quelle splendeur, ce tableau !* Marque l'étonnement, la surprise, l'admiration, la douleur, tandis que **ho !** sert à appeler ou peut exprimer le doute, l'indignation. • Autre hom. : **ô** (voir ce mot).

oiseau n. m. Touj. au SING. dans : *à vol d'oiseau.*

olive n. f. et adj. INVAR. de couleur. Dér. : **olivâtre(s)**, adj.

omoplate n. FÉMININ. Noter le genre.

on-dit n. m. invar : *se moquer des on-dit.*

opéra n. m. (= drame chanté). On écrit avec tr. d'union : *opéra-ballet, opéra-comique* ; SANS tr. d'union : *opéra bouffe.* • Avec un O majusc. : *l'Opéra* (de Vienne, de Paris, etc.), *l'Opéra-Comique* (à Paris, etc.), théâtres.

opiniâtre adj. Acc. circ. sur l'*a.*

opprobre n. MASC. Bien noter la finale *-bre* (rime avec *octobre*).

orange n. f. Est INVAR. quand on l'emploie comme adj. de couleur : *des blouses orange.* Mais le dér. **orangé**, adj. (et n. m.), s'accorde.

orbite n. FÉMININ. Noter le genre.

orgue n. MASC. SING. : *un bel orgue* ; • n. MASC. PLUR. désignant plusieurs instruments : *les plus beaux orgues de France et de Navarre* ; *des orgues électriques allemands* ; • n. FÉM. PLUR. désignant en style solennel et emphatique UN SEUL instrument monumental : *les grandes orgues de Notre-Dame.* • On écrit : *buffet(s) d'orgue, jeu(x) d'orgue, point d'orgue, tuyau(x) d'orgue* ou *d'orgues* ; plutôt *tribune(s) d'orgues.* • Touj. masc. *orgue(s) de Barbarie* ; masc. plur. : *orgues de Staline,* et aussi (géographie) : *les orgues de Fingal* (Écosse).

oriflamme n. FÉMININ. Noter le genre.

ovale adj. des deux genres et n. m.

ozone n. MASCULIN.

P

pacotille n. f. Un seul *t* (contr. à *flottille*).

pallier v. uniquement tr. dir. : *pallier ses insuffisances*. (La forme « pallier à... » est une faute de français.) Deux *l*. • Dér. **pallia-tif(ive)**, adj. ; **palliatif**, n. m. • Hom. : **palier**, n. m.

panacée n. f. (= remède universel). Ne pas dire : « une panacée universelle », ce serait commettre un pléonasme.

pantomime n. FÉM. (= jeu de scène sans paroles). Surtout ne pas dire ou écrire « pantomine ».

paon n. m. Le groupe *aon* se prononce « an », comme dans *faon*, dans *taon* (fautivement prononcé « ton » dans certaines régions) et dans *Laon* et *Craon*. • La femelle du *paon* est la *paonne* (hom. de *panne*).

papeterie n. f. Un seul *t*, comme dans *marqueterie* (et contr. à *lunetterie*).

paraffine n. f. Deux *f*.

pareil(le) adj. L'expr. *pareil que* appartient au langage relâché. Il faut dire *pareil à* : *J'ai une veste pareille à la tienne*. • On écrit : *des beautés sans pareilles*.

parenthèse n. f. Touj. au SING. : *par parenthèse* ; ex. : *Je te dirai, par parenthèse* (incidemment, en faisant une parenthèse), *que cette solution ne me plaît pas*. • Au contraire, touj. au PLUR. : *entre parenthèses* (en mettant entre les deux parenthèses).

parti n. m., **partie** n. f. Ne pas confondre *prendre son parti* (sans *e* final) et *prendre à partie* (avec *e* final = comme si c'était l'une des *parties* dans un procès), ni avec *avoir maille à partir* (où *partir* est un verbe). • *Parti pris* s'écrit sans tr. d'union.

passager(ère) adj., **passant(e)** adj. Un malaise qui ne dure pas est *passager* ; une rue très fréquentée est *passante*.

pastel n. m. : *des pastels*. Adj. INVAR. de couleur : *des teintes pastel*.

pâturage n. m. Veiller à l'acc. circ. sur l'*a*.

pause n. f. (= temps d'arrêt dans une activité). *Faire la pause à midi*. On écrit : *la pause café* ou *la pause-café*. • Ne pas confondre avec **pose**, n. f. ; le modèle prend la *pose* chez le sculpteur, puis, fatigué, fait la *pause*.

peau-rouge adj. : *tribus peaux-rouges*. • N. pr., avec deux majusc. : *deux Peaux-Rouges échangeaient des signaux de fumée*.

peccadille n. f. Noter les deux *c*.

pécuniaire adj. Noter la finale *aire*. Il n'existe pas d'adj. « pécunier », ni par conséquent de fém. « pécunière ».

peine n. f. On dit et l'on écrit : *à grand-peine* ; tr. d'union. (qui remplace l'*e* disparu).

pèlerin n. m. Un acc. grave ainsi que pour ses dérivés (pèlerinage). Un seul *l*.

peloter v. tr. Un seul *l* (*idem* pour le dér. **peloton**, n. m. ; deux *n* à **pelotonner**, v. tr. et pronom.).

pénates n. MASCULIN plur. Noter le genre. Pas de sing.

pénitencier n. m. 1° Prêtre pouvant absoudre les cas réservés ; 2° Prison (« *Les portes du pénitencier...* »). • Le mot fut adj. autref. : *maison pénitencière*, « où l'on se rend pour faire pénitence » ; il ne l'est demeuré que dans l'expr. *navire pénitencier*, où il peut être aussi bien considéré comme un subst. en apposition. • L'adj. dér. du 2° est auj. **pénitentiaire**, au masc. et au fém. : *règlement pénitentiaire, administration pénitentiaire*.

pense-bête n. m. Plur. : *des pense-bêtes*.

perclus adj. Fém. : **percluse**, et non « perclue » (barbarisme populaire).

périgée n. MASCULIN. Noter le genre.

période n. MASC. au sens archaïque de « degré », de « stade » : *la période critique d'une maladie* ; FÉM. dans tous les autres sens.

périple n. m. Ne devrait s'employer que pour un voyage circulaire, ou, pour le moins, d'aller-retour, comportant en principe des péripéties, des aventures. À l'origine : circumnavigation. Ne pas employer à propos, par exemple, d'un Paris-Nantes aller-retour en TGV sans incidents !

perruque n. f. Ne pas dire « une fausse perruque » (c'est un pléonasme) !

persiflage n. m., **persifler** v. tr. Un seul *f*, contr. à *siffler*.

pervenche n. f. Employé comme adj. de couleur, est INVAR. : *tons pervenche*, mais non le subst. de couleur : *une gamme de pervenches*.

peut-être adv. Le tr. d'union est obligatoire dans l'adv. : *J'irai peut-être à Paris*. Bien entendu, le tr. d'union est à bannir s'il s'agit du v. assorti du semi-auxil. *pouvoir* : *Votre ami peut être aussi le mien*.

philanthrope n. et adj. Noter le second *h*.

philharmonie n. f., **philharmonique** adj. Noter les deux *h*.

picoter v. tr. Un seul *t*.

pie adj. INVAR. de couleur : *des voitures pie*. *Des chevaux pie(-) rouge, des vaches pie(-)noir* (avec ou sans tr. d'union).

pistache n. f. En tant qu'adj. de couleur, est invar. : *des jupes pistache*.

pivoine n. FÉM. d'une plante à bulbe. • Adj. de couleur, est INVAR. : *des rubans pivoine*.

plaidoirie n. f. Pas d'*e* intérieur devant le *r*.

planisphère n. MASCULIN. Ne peut désigner qu'une représentation plane de la Terre (ou du ciel), et non un globe terrestre.

plasma n. m. Pas d'*s* à la fin de ce mot.

plastic n. m. Explosif plastique. Hom. : **plastique**, n. m., abrév. pour *matière plastique* ; **plastique**, n. f. et adj., termes d'art relatifs à la forme et à la beauté.

plâtre n. m. Acc. circ. sur l'*a*. *Idem* pour : **plâtrage, plâtras, plâtrer, plâtrier**, etc.

pléthore n. f. Ne pas oublier l'*h*.

plinthe n. f. Moulure, planche au bas d'un mur. Ne pas omettre l'*h*. Hom. : **plainte**, n. f.

plume n. f. On écrit le mot au sing. dans *gibier à plume*, ainsi que dans *lit de plume, matelas de plume*. • Sans tr. d'union : *un boxeur poids plume, un poids plume*. Invar. en nombre : *des [boxeurs] poids plume*.

plupart (la) Quand *la plupart* est employé seul ou suivi d'un complément au pluriel (constructions les plus usuelles auj.), le v. se met toujours au plur. : *La plupart des châteaux de la région ont été restaurés au XIXᵉ s.* ; *La plupart d'entre nous ont été les élèves de M. Topaze.* • Le mot *temps* est le seul qui s'associe couramment au singulier à *la plupart* : *La plupart du temps, ils se promenaient l'après-midi au Bois.* Quand ce groupe de mots est sujet du v., celui-ci se met au sing. : *la plupart du temps se passe en interminables parties de cartes.*

plus-value n. f. Avec un tr. d'union. Plur. : *des plus-values.*

plutôt adv. Syn. de « de préférence ». En un seul mot (*je viendrai plutôt mardi que mercredi*), à la différence de **plus tôt** (contraire de « plus tard ») : *Plus tôt vous viendrez, plus tôt on pourra partir visiter la région.* Bien écrire : *Nous n'étions pas plus tôt arrivés que ma belle-mère s'invita à dîner* (= nous étions à peine arrivés que...).

pneu n. m. (abrév. de *pneumatique*). Plur. : *des pneus* (*s* final).

poêle n. FÉM. Ustensile de cuisine pour frire, fricasser, griller. • n. MASC. 1° Appareil de chauffage ; 2° Drap mortuaire, dais. (Prononcer « pwâle ».) • Quels que soient le genre et l'acception, le mot s'écrit avec un acc. circ. C'est touj. un acc. circ. que l'on trouve dans les mots appartenant aux familles des différents *poêle* : **poêlée**, n. f., **poêler**, v. tr., **poêlon**, n. m., ou bien **poêlier**, n. m.

poil n. m. Au sing. dans les expr. *gibier à poil, bonnet à poil, être à poil* (famil. pour « tout nu »). C'est également le sing. qui est préconisé dans *de tout poil* (*Pour le Carnaval, des escrocs de tout poil arrivaient en ville !*).

poing n. m. Reste au sing. dans : *un coup de poing, des coups de poing, se battre à coups de poing...* bien que l'on se serve parfois de SES POINGS en ces circonstances. • Mais c'est le plur. qui est de rigueur dans *dormir à poings fermés.* • Tr. d'union dans le m. composé *coup-de-poing* (1° arme de silex des hommes préhistoriques ; 2° [dit *coup-de-poing américain*] arme de main des truands et des voyous). Plur. : *des coups-de-poing* (seul le premier élément varie).

point n. m. Auj., on dit : *un point-virgule* (plur. : *des points-virgules*), et on lie les deux éléments par un tr. d'union. La forme *un point et virgule* est obsolète. • On dit indifféremment : *les deux points* ou *un deux-points* (la seconde forme étant particulière-

70

ment employée par les professionnels de l'imprimerie). Si le tr. d'union est obligatoire avec l'article au sing., il n'est que facultatif avec l'art. au plur. • Sing. logique dans : *à point, à point nommé* et *de point en point*. • *Point de vue* s'écrit sans tr. d'union. Le plur. est : *points de vue* (*vue* restant invar.).

polaire adj. Pas d'acc. circ. sur l'*o*.

pôle n. m. Acc. circ. sur l'*o*. • On écrit : *le pôle Sud, le pôle Nord*, et, en abrégeant, *le pôle S., le pôle N.*

policlinique n. f. Formé sur le grec *polis*, « ville », le mot désigne un établissement communal où l'on soigne les gens sans les hospitaliser. • Ne pas confondre avec **polyclinique**, n. f., clinique où l'on soigne diverses maladies au sein de plusieurs services spécialisés. Ce mot est formé sur le grec *polus*, « plusieurs, nombreux ». • Attention à ne pas confondre ces deux mots, en cas d'urgence, en se rendant dans une *policlinique* alors que le cas relève d'une *polyclinique* !

poliomyélite n. f. Attention à la place de l'*y*.

poltron n. m. et adj. Fém. : **poltronne** (deux *n*).

poly- Les comp. avec le préfixe *poly* s'écrivent en un seul mot. Ainsi : *polychromie, polyphonie, polyurie...*

polyester n. m. Ne pas écrire « polyesther » avec un *h*.

polyglotte n. et adj. Deux *t*.

polygone n. m. Pas d'acc. circ. sur l'*o*.

polynôme n. m. Acc. circ. sur le second *o*.

polytechnique n. f. et adj. Avec un *p* minusc. dans : *l'École polytechnique*, mais *P* majusc. quand il y a ellipse (*entrer à Polytechnique*).

popote n. f. et adj. Un seul *t* : *Le général faisait la tournée des popotes.* • Invar. en son emploi adj. : *Ces épouses sont trop popote aux yeux de leurs maris ; ces retraités sont bien popote !*

porc-épic n. m. Plur. : *porcs-épics.* Au plur. comme au sing., la prononciation est : « porképic », l'*s* du pluriel restant muet.

possible adj. S'accorde quand il se rapporte à un nom : *Visitez tous les clients possibles.* • Mais ne s'accorde pas s'il suit un superlatif : *Visitez le plus de clients possible*, car le sens est ici : « ... le plus de clients qu'il vous est (ou : qu'il vous sera) possible de visiter. » De même : *Les mâts de cocagne devront être les plus hauts possible* (= qu'il vous sera possible de les faire) ; *faites le moins de bévues possible* ; *elles ont été le mieux soignées possible.* Mais : *Il a accumulé toutes les fautes possibles !* (= qui étaient possibles). • *Il est possible* (et : *il n'est pas possible*) *que...* Cette expr. se fait suivre du subjonctif : ... *qu'il vienne* ; ... *qu'elle t'éconduise.* Le conditionnel (« Il est possible qu'il viendrait s'il savait que Nicole serait là ») est critiqué, et l'on prône alors : *Il viendrait peut-être s'il savait que Nicole sera là.*

post- élément de composition. La plupart des comp. avec ce préfixe (= après) s'écrivent sans tr. d'union, en un seul mot : *postclassique, postcombustion, postcommunion, postface, postposition,* etc.

poulain n. m. Fém. : **pouliche** (et non « poulaine »).

pouls n. m. Prononcer « pou ». Étym. : lat. *pulsus,* battement. Penser à *pulsation* pour ne pas oublier le *s* final.

pourcentages L'accord du verbe qui dépend d'un pourcentage est source d'hésitation, car on se demande s'il faut dire et écrire : *Dix pour cent seulement de la population a voté pour lui,* ou *ont voté pour lui.* Notre réponse : le plur. est touj. préférable. Si l'on hésite, on peut tourner la phrase autrement : *Dix pour cent seulement des électeurs ont...,* ou bien : *La population ne lui a accordé que dix pour cent des voix.* • Cela vaut pour toutes les proportions : *75 % (les trois quarts) du quartier ont été détruits,* ou : *Le quartier a été détruit à 75 % (aux trois quarts).*

pourparlers n. m. plur. Pas de sing.

praticable adj. et n. (masc.). Le groupe *qu* de *pratique* se change en *c.* • *Idem* dans **praticabilité,** n. f.

pratiquant(e) adj. et n. Garde le groupe *qu* et la désinence du part. prés. de *pratiquer,* v. tr.

prêcher v. tr. et intr. Acc. circ. comme à *prêche,* n. m. • Dér. comp. : *prêchi-prêcha,* n. m. invar.

prémices n. f. plur. (n'a pas de sing.) Autref., les premiers fruits de la terre, offerts au culte des divinités ; auj., les premières manifestations d'un fait nouveau, d'un changement, de quelque chose d'espéré. La première messe d'un prêtre est dite *messe de prémices* : on décèle chez un élève doué les *prémices* d'une belle carrière. • Hom. : *prémisse* (voir ce mot).

prémisse n. f. En rhétorique, chacune des deux premières propositions d'un syllogisme, la majeure et la mineure. Souvent usité au plur., du fait que les *prémisses* sont touj. deux. Au sens figuré, et au plur. : bases sur lesquelles on peut s'appuyer pour élaborer une politique, principes dont peuvent découler des événements, des conséquences... • Hom. : *prémices* (voir ce mot).

près adv., **prêt(e)** adj. La confusion est continuelle à l'écrit, à la radio, à la télévision, entre ces deux mots. La distinction est pourtant aisée : *on est **près** d'aboutir* (= on n'en est plus très éloigné), *on est **prêt** à commencer un travail* (= on a pris toutes dispositions pour cela). *Être près de sortir*, c'est être sur le point de s'en aller ; *être prêt à sortir*, c'est avoir rangé ses affaires, endossé son manteau s'il fait froid, pris ses clefs en vue du retour. *Près* s'assortit de *de, prêt* se fait suivre de *à*.

presque adv. Pas de tr. d'union à : *la presque totalité, la presque unanimité* (alors qu'on en met un à : *la quasi-totalité, la quasi-unanimité*).

presqu'île n. f. Noter l'apostrophe. C'est le seul cas où *presque* s'élide.

prête-nom n. m. Plur. : *des prête-noms*.

prétexte n. m. Ne pas dire ou écrire : « faux prétexte », c'est un pléonasme (même dans le cas d'un « bon prétexte » !).

prévôt n. m. Acc. circ. sur l'*o*. De même chez les dér. **prévôtal(e, es, aux)**, adj. ; **prévôté**, n. f.

procès-verbal n. m. Noter le tr. d'union. Plur. : *procès-verbaux*.

prodige n. m. Parf. en apposition : *enfant prodige*. S'accorde alors comme un adj. • Paron. : **prodigue**, adj. et n., à ne pas confondre ; le *prodigue* est quelqu'un qui dilapide sa fortune.

profiterole n. f. Un seul *f*.

prône n. m. **prôner** v. tr. Noter l'acc. circ. sur l'*o*.

provocant(e) adj. Noter le *c*, au lieu de *qu* dans **provoquant**, part. prés. du v. tr. *provoquer*.

prud'homme n. m. Noter l'apostrophe. • Dér. : **prud'homal(e, es, aux)**, adj. ; ici, apostrophe mais un seul *m* ; il en va de même dans **prud'homie**, n. f. • Au contraire, **prudhommerie**, n. f., et **prudhommesque** (du nom du personnage d'Henri Monnier :

Joseph Prudhomme), adj., perdent l'apostrophe et récupèrent le second *m*.

prune n. f. • Employé comme adj. de couleur, est invar. : *des jupes prune*.

Q

quand conj., **quant**, élément de loc. Attention à la lettre terminale ! Ces deux mots n'ont pas le même emploi.
• *Quand* = lorsque : *Quand vous êtes venu...*, avec un usage plus étendu, car, interrogativement, on dira : *quand êtes-vous venu ?*, question où *quand* ne pourrait être remplacé par *lorsque*. En outre, *quand* peut signifier « même si » : *Quand vous me le diriez cent fois, j'hésiterais à vous croire* (noter qu'avec *même si* l'on devrait dire : *disiez*, et non *diriez*). Enfin, *quand* entre dans les loc. *quand même* et *quand bien même* (= malgré tout, malgré cela).
• *Quant*, que Littré donne pour adv., n'est qu'un élém. de la loc. prép. *quant à* (= en ce qui concerne, pour ce qui est de). • Dér. : *quant-à-soi*, n. m. invar. (on rencontre aussi *quant-à-moi*, n. m. invar.).

quantité n. f. En l'absence d'art., on écrit, en conservant *quantité* au sing. : *Quantité de personnes se sont plaintes* (accord au plur.). Avec un art., l'accord est libre : *Une grande quantité d'oiseaux ont*, ou : *a péri* ; mais le plur. est de beaucoup préférable.

quart n. m. SANS tr. d'union : *les trois quarts des gens, une salle vide aux trois quarts*. • AVEC tr. d'union : *porter un trois-quarts en tweed* ; *les trois-quarts ont bien mal joué !* • On dit : *midi et quart* plutôt que : « un quart ».

quasi adv. Avec un nom, est suivi d'un tr. d'union : *un quasi-échec*. • Pas de tr. d'union avec un adj. ou un part. (*quasi terminé*), ni avec un adv. (*quasi entièrement*).

quatre adj. num. et n. m. invar. • Les dér. comp. prennent des tr. d'union et sont tous INVAR. : *quatre-cent-vingt-et-un* (jeu de dés), *quatre-épices*, *quatre-mâts*, *quatre-quarts*.

quelque adj. indéf. et adv. / **quel(le) que** loc. La confusion est fréquente entre le mot et la loc., qu'il faut bien distinguer :
• 1° *J'ai envoyé quelques lettres à Sylvie.* Ici, *quelque* est adj. indéf. et s'accorde au plur. avec le subst. *lettres* ; 2° *Quelques douceurs que vous lui prodiguiez, elle restera réservée.* Là aussi, *quelque* est adj. : donc, accord au plur. avec *douceurs* ; 3° *Quelque excellentes que soient vos relations, elles finiront par se gâter.* Au contraire, *quelque* est ici adv. (au sens de « si »), et invar. ;
• *Quelles qu'elles soient, vos relations s'altéreront un jour.* Dans cet ex., ce qu'on trouve, c'est l'adj. relat. *quel* suivi de *que* ; en tant qu'adj., *quel* s'accorde avec le subst. auquel il se rapporte : *relations*, au fém. plur. Le v. est touj. au subj. : *quelle que soit la distance, quels que puissent être vos désirs, quelles qu'aient pu être vos préventions.*
• REMARQUES : 1° *Quelque* n'élide son *e* final que devant *un* et *une.* 2° Au contraire, avec *quel(le) que*, toute élision est licite. 3° Attention à ne pas confondre l'adj. indéf. et l'adv. Ex. dans : *Ils étaient quelque cent vingt*, il s'agit de l'adv. INVAR. (= environ cent vingt) ; mais dans : *Ils étaient cent vingt et quelques*, il s'agit de l'adj. VAR. (= et quelques autres). Dans le premier cas, ils pouvaient être *plus ou moins* de cent vingt, *à peu près* cent vingt ; dans le second, ils étaient *un peu plus* de cent vingt. • La loc. *quelque chose* est du genre MASCULIN.

quelqu'un pron. indéf. des deux genres. Le fém. *quelqu'une* est d'emploi littéraire. Plur. : *quelques-uns, quelques-unes.*

qu'en-dira-t-on n. m. invar. : *N'écoutez pas les qu'en-dira-t-on.*

quetsche n. f. (= prune : eau-de-vie de prune). Prononcer « kouetch ».

queue n. f. On écrit sans tr. d'union : *à la queue leu leu.* • Seul le mot *queue* prend un *s* au plur. dans les dér. comp. commençant par **queue-de-** : *des queues-d'aronde, des queues-de-morue, des queues-de-pie,* etc.

queux n. m. (= cuisinier). Ne se dit que dans l'expr. *maître queux* (pas de tr. d'union).

quincaillier(ère) n. Noter le troisième *i* à la finale.

quinconce n. m. On écrit : *arbres en quinconce* (sans *s*).

quintal n. m. (= 100 kg). Plur. : *quintaux.*

quoique conj. (= bien que). L'*e* final s'élide devant *elle, en, il, on, un, une.* • Attention à la confusion avec la loc. en deux mots **quoi que** : *quoi que je fasse* (= quelque chose que je fasse), *je n'arriverai pas à l'heure.*

R

rabâcher v. tr. et intr. Acc. circ. sur le 2e *a*. Même chose chez tous ses dér. : *rabâchage, rabâcheur...*

rabbin n. m. Deux *b*, ainsi que tous les dér. : **rabbinat, rabbinique...**

râble n. m. Prend un acc. circ. sur l'*a*, ainsi que ses dér. : **râblé(e), râblure...**

racler v. tr. Pas d'acc. sur l'*a*. • *Idem* chez les dér. : **raclée, raclette, racloir...**

radjah n. m. S'écrit aussi *rajah*.

radoter v. intr. Un seul *t*. Part. passé invar.

rafle n. f., **rafler** v. tr. Un seul *f*. Pas d'acc., bien que l'*a* soit appuyé.

ragoût n. m. Acc. circ. sur l'*u*, comme dans **goût, goûter, dégoûtant, ragoûtant.**

râper v. tr. Acc. circ. sur l'*a*. • *Idem* chez les dér. : **râpe, râperie, râpeux(euse).**

rasséréner v. tr. (et pronom.) « Rendre (redevenir) *serein* ». Ne pas dire « rassénérer ».

rate n. f. Femelle du rat. Un seul *t* (comme pour l'organe du corps). Mais il y a deux *t* dans le nom de pomme de terre **ratte.**

râteau n. m. Acc. circ. sur l'*a*. • Dér. : 1° Avec cet acc. : **râtelage, râtelée, râteler, râteleur(euse), râtelier, râtelures** ; 2° Sans acc. circ. : **ratissage, ratisser, ratisseur(euse), ratissoire...**

rationalisme n. m. Un seul *n* devant un *a* (**rationalisation, rationaliser, rationaliste, rationalité**). Prononcer « rassio ».

rationnel(le) adj. Deux *n*, ainsi qu'à **rationnellement**, adv.

rebelle adj. et n. Pas d'acc., mais **rébellion**, n. f., prend un acc. aigu sur son premier *e*. **Se rebeller**, v. pronom., s'écrit sans acc.

record n. m. Adjectivé, s'accorde en nombre, non en genre : *des vitesses records, des résultats records.*

règlement n. m. / **réglementation** n. f. • Le v. tr. **régler** s'écrit avec un acc. aigu, qu'il ne change en acc. grave que devant une syllabe muette FINALE (*je règle, nous réglerons*), comme *céder*. • **Règle, règlement** et **dérèglement** sont les seuls mots de la famille à prendre un acc. grave. Tous les autres : **réglable, réglage, réglementaire, réglementation, dérégler**, etc., prennent un acc. aigu.

relais n. m. Prend un *s* comme *palais* : *un relais de télévision*.

remue-ménage n. m. INVAR.

renâcler v. intr. Acc. circ. sur l'*a*.

repaire n. m. 1° Gîte d'un animal sauvage ; 2° Refuge de malfaiteurs. • Ne pas confondre avec **repère**, n. m. (= marque, jalon) : *les repères de la mission Citroën au Sahara* ; mot qui a donné *repérage*, n. m., et *repérer*, v. tr.

restant est INVAR. comme part. prés. : *les sommes restant à vous devoir*, mais VAR. comme adj. : *Les sommes restantes vous seront versées ultérieurement*.

rétractation n. f. / **rétraction** n. f. Le premier mot désigne un acte par lequel on revient sur ce qu'on a dit : *la rétractation de ses aveux par un accusé*. Le second mot se dit d'un repli sur soi effectué par un animal qui se fait plus petit pour sa défense ; de la contraction d'une substance, lors d'une réaction physique ou chimique ; d'un mouvement de retrait naturel (*la rétraction du poil sous le rasoir*).

réveille-matin n. m. INVAR. Mais : *un réveil, des réveils*.

revolver n. m. Pas d'acc. Mais *révolvériser*, v. tr., prend deux acc. aigus. • Le revolver étant un pistolet à répétition muni d'un barillet (voir *baril*), « revolver à barillet » est un pléonasme inadmissible.

rococo adj. invar. en genre et en nombre.

roder v. tr. (1° user par frottement ; 2° employer avec précaution une machine neuve) / **rôder** v. intr. (= vagabonder). Seul le second de ces v. prend un acc. circ. sur l'*o*.

rosbif n. m. Orthogr. francisée de l'anglais *roast* et *beef*.

rose n. f. On écrit : *des roses blanches, des roses pompon* ; *la rose des vents, la rose des sables* ; *le laurier-rose, des lauriers-roses* (tr. d'union). • Adj. : *des dentelles roses* ; *des nappes rose bonbon*.

rouge n. m. et adj. Le subst. varie : *des rouges très vifs.* L'adj. varie quand il est seul : *des toits rouges, les Khmers rouges* ; il est invar. quand il est associé à un autre adj. de couleur : *des murs brun-rouge, rouge-brun* (tr. d'union), *des pulls rouge brunâtre* (sans tr. d'union), ou précisé par un compl. : *des banderoles rouge sang* (pas de tr. d'union). • Parfois adv., donc invar. : *Ils se fâchèrent tout rouge.*

rouge-gorge n. m. Plur. : *des rouges-gorges.*

rubané adj. et part. passé du v. tr. *rubaner.* S'écrit avec un seul *n*, contr. à *enrubanné* et *enrubanner.*

rue n. f. On écrit : au SING., *des batailles de rue, des coins de rue* ; au PLUR., *des noms de rues, des croisements de rues.*

S

sable n. m. Employé comme adj. de couleur, est invar. : *des chemises sable* (= beige clair). Cet adj., qui signifie : « de la couleur du sable », n'a rien de commun avec *sable*, n. m., qui désigne la couleur NOIRE en héraldique : *écu de sable aux trois fleurs de lys et au pairle d'or.*

sadomasochisme n. m. S'écrit en un seul mot.

sage-femme n. f. Plur. : *des sages-femmes.*

saint adj. et n. m. Fém. : *sainte.* • S'écrit avec un *s* minusc. et sans tr. d'union dans la désignation de personnages : *les clés de saint Pierre*, et de leur représentation : *un saint Yves en chêne polychrome.* Une exception : *Saint Louis*, à qui l'on met touj. un S majusc. • On écrit avec un S majusc. et un ou des tr. d'union le nom des ordres, congrégations, confréries et édifices religieux : *l'église Saint-Étienne, la cathédrale Saint-Laurent, l'ordre de Saint-Benoît* ; de même en toponymie : *la ville de Saint-Claude, la rivière Sainte-Austreberthe. Idem* en médecine : *être atteint de la danse de Saint-Guy* (= la chorée). • Les n. communs comp. avec *saint(e)* gardent les minusc. et prennent le tr. d'union : *la sainte-barbe* (d'un navire ; mais on écrit : *la Sainte-Barbe* pour la fête des pompiers), *un saint-bernard* (chien), *le saint-émilion* (vin), *le sainte-*

maure (fromage), *la saint-glinglin* (on ne sait quand), *un saint-honoré* (gâteau), *du saint-nectaire* (fromage), etc. • Exception pour : *une sainte nitouche*, qu'on écrit généralement sans tr. d'union

sanatorium n. m. Plur. : *des sanatoriums.*

sandwich n. m. Plur. : *des sandwichs* (« à la française »).

sang n. m. On écrit SANS tr. d'union : *les animaux à sang froid* (ex. : les batraciens), mais AVEC tr. d'union : *Il a perdu son sang-froid, il a tiré sur nous de sang-froid.* En ces deux derniers ex., il s'agit du mot comp. invar. **sang-froid,** n. m.

saoul ou **soûl** adj. Deux graphies licites ; l'*a* dispense de l'acc. circ. sur l'*u*, l'acc. circ. sur l'*u* dispense de mettre un *a. Idem* pour le v. tr. et pronom. **saouler** ou **soûler.**

sarment n. m. Il y a pléonasme à dire : « un sarment de vigne » ; il en va de même que pour *pampre* et *treille,* qui ne peuvent désigner que des rameaux ou des ceps de vigne.

satire n. f. (= œuvre et genre littéraires : *les* Satires *de Boileau*). Noter l'*i.* • Hom. : *satyre* (voir ce mot).

satyre n. MASC. Demi-dieu à pieds de bouc ; homme lubrique ; n. FÉM. Œuvre théâtrale où des *satyres* tenaient le chœur ; dér. : *satyrique,* adj. (= relatif à la *satyre*). Noter l'*y.* • Hom. : *satire,* n. f. (voir ce mot).

sauf adj. Fém. : *sauve. Des naufragés sains et saufs.* • Employé prépositivement, *sauf* (= excepté) devient INVAR. : *tous les Européens, sauf les Suisses.*

saynète n. f. (= sketch, petite pièce de théâtre). Ne pas écrire « scénette ». (Étym. : l'espagnol *sainete.*)

sceptique adj. (= qui doute). Ne pas confondre orthographiquement avec **septique,** adj. (pas de *c*), « relatif à l'infection » : *fosse septique.*

schilling n. m. Unité monétaire autrichienne. Noter le *c,* présent au contraire de **shilling,** n. m., monnaie britannique.

script n. MASC. : écriture simplifiée (*écrire en script*). Parf. adjectivé (invar.) : *une écriture script.* • N. FÉM. : abrév. pour *script-girl* ; mais il est conseillé de franciser le mot : *une scripte.*

scrupule n. m. On écrit au SING. : *dénué de* TOUT *scrupule* ; *peser au scrupule près* ; au PLUR. : *dénué de scrupules, un individu sans scrupules.*

second(e) adj., employé, en toute rigueur, quand il n'y a pas de « troisième » : *le Second Empire, la Seconde Guerre mondiale.* En cas contraire, on dit *deuxième* : *le deuxième tome du Grand Dictionnaire universel du XIXᵉ siècle.*

séculaire adj., **séculier(ère)** adj. Le premier se rapporte à une période de cent ans. Le second a trait au clergé qui n'appartient pas aux ordres religieux, mais « qui vit dans le siècle ».

sens n. m. On écrit sans tr. d'union : *sens dessus dessous.* • Avec tr. d'union : *un non-sens.* • Dér. : **sensé(e)**, adj. à bien distinguer de *censé(e)*, « supposé, considéré comme ».

sépia n. FÉMININ. Noter le genre. • Adj. INVAR. de couleur : *des jupes-culottes sépia.*

sépulcre n. m. *Le Saint-Sépulcre.*

serein adj. (fém. : **sereine**) et n. m. • L'adv. **sereinement** garde le groupe *ei*, qui disparaît dans **sérénade**, n. f., et **sérénité**, n. f. • Ces mots viennent de *soir* (lat. *sero*, au soir). Une *sérénade* se donne le soir, une *aubade* le matin (« à l'aube »).

sergent-chef n. m. Tr. d'union. Plur. : *des sergents-chefs.*

serpillière n. f. Noter les deux *l* flanqués de deux *i* (cf. *groseillier, joaillier, quincaillier*).

serviette-éponge n. f. Tr. d'union. Double plur. : *serviettes-éponges.*

sibylle n. f. Noter la place de l'*y*. • Avec majusc : *la Sibylle* = la sibylle de Cumes. • Dér. : **sibyllin(e)**, adj.

sismique adj. (de *séisme* = secousse [grec *seiein*, secouer]). Éviter de dire ou d'écrire : « secousse sismique », expr. qui contient un pléonasme. Dire : *tremblement de terre, phénomène sismique, secousse tellurique* (lat. *tellus*, terre)... ou tout simplement *séisme.*

soi-disant adj. INVAR. et adv. Ne doit s'employer que pour une PERSONNE : *de soi-disant femmes du monde, des techniciens soi-disant compétents* (= qui se disent, ou peuvent se dire, tels ou telles). Ne pas dire : « une faute soi-disant réparable », « une ville soi-disant animée », mais : *prétendument réparable, prétendument animée* (= que l'on prétend être ainsi). De même : *de prétendues améliorations, de prétendus progrès* (et non « soi-disant »).

• Veiller aussi au non-accord : *sa soi-disant nièce* (et non « soi-disante » !).

solde n. MASCULIN, « vente au rabais d'articles démodés » : *annoncer des soldes exceptionnels* ; n. FÉMININ, traitement de militaires ou d'agents de l'armée. • Le dér. *demi-solde* est FÉM. et s'accorde au plur. au sens de « traitement diminué de moitié » (*des demi-soldes* = des demi-pensions). Est masc. quand il désigne des anciens officiers de l'Empire mis en non-activité à la Restauration.

souffre-douleur n. m. INVAR.

soufre n. m. Un seul *f*. • Adj. INVAR. de couleur : *de longues nuées soufre.*

soupirail n. m. Plur. : *soupiraux.*

soutien-gorge n. m. Plur. : *soutiens-gorge.*

sphinx n. m. Prend un *i*, non un « y », qu'il s'agisse du monstre fabuleux (fém. : *sphinge*) ou du papillon de nuit.

stalactite n. FÉMININ, concrétion tombante ; **stalagmite** n. FÉMININ, concrétion montante. Moyen mnémonique : *tite*/tombe, *mite*/monte.

stupéfait(e) adj. Ne pas l'employer comme un part. passé, car il n'existe pas de v. « stupéfaire ». Ne pas dire : « J'ai été stupéfait par cet événement », ni : « Cet événement m'a stupéfait », mais : **stupéfié(e)**, part. passé du v. tr. *stupéfier*, qui, lui, existe bien. En revanche, on dira très correctement : *Elle est restée stupéfaite.*

succéder v. tr. indir. et pronom. Part. passé TOUJ. INVAR.

succinct(e) adj. Ne pas omettre le troisième *c*, qui toutefois reste muet au masc. et au fém. Le *t* ne se prononce qu'au fém.

suffocant(e) adj. Noter la différence d'orthogr. avec le part. présent du v. intr. *suffoquer* : **suffoquant.**

super- élément de composition, s'agglutine à l'élément suivant (*superalliage, superbombe, supermarché*, etc.), sauf dans *super-huit*, n. m. et adj. invar. (format de film amateur, qu'on écrit aussi *super-8*). • Adj. invar. : *des vêtements super.*

surdose n. f. proposé à la place de l'anglais *overdose.*

T

tache n. f. (= salissure, marque, etc.) ; **tâche** n. f. (= travail). Acc. circ. sur l'*a* du second mot. Dér. SANS acc. : **tacher**, v. tr. (= salir) ; **tacheter**, v. tr. (= semer de taches ; conjug. : *je tachette, tachetons !*) ; mais AVEC acc. : **tâcher**, v. parfois tr. (*Tâchez qu'il vienne*), le plus souvent tr. indir. soit avec *de* : *Tâchez d'y aller !*, soit avec *à* (= s'efforcer à...) : *Tâchez à bien préparer votre examen !*

tain n. m. *Glace sans tain.* • Prendre garde aux hom. : **teint**, n. m. (*un teint coloré*) ; **thym**, n. m. (*le thym et le romarin*) ; **tin**, n. m. (*Le tin supporte la quille du bateau en chantier*).

taper v. tr. et intr. On peut dire : *à 4 heures tapant* ou *tapantes*.

tâter v. tr. / **tatillonner** v. intr. Le premier v. prend un acc. circ. sur l'*a*, le second non, bien que celui-ci dérive de celui-là. • Il en va de même pour leurs dér. réciproques : **à tâtons**, loc. adv., **tâtonner**, v. intr. et son dér. **tâtonnement**, n. m., héritent de l'acc. de *tâter*, tandis que **tatillon(ne)**, adj. (qui double au fém. son *n*) en est exempt comme *tatillonner*.

taxer v. tr. On *taxe* quelqu'un d'hypocrisie, ou on le *traite* d'hypocrite ; on le *taxe* de vénalité, ou on le qualifie de *vénal*. Il est incorrect d'écrire et de dire : « taxer d'hypocrite », « taxer de vénal ».

taxi n. m. Au SING. dans : *des chauffeurs de taxi* (chacun d'entre eux ne conduit qu'un véhicule à la fois). Dér. comp. : *avion-taxi*, n. m. (plur. : *des avions-taxis*) ; *taxi-brousse* (plur. : *des taxis-brousse*).

tel adj. et pron. • Accord sans problème dans l'emploi général : *De telles conditions sont inacceptables.* • Non suivi de *que*, accord de *tel* avec ce qui SUIT. Ex. : *J'aime les pierres de couleur,* TELS *le rubis et le saphir ; l'intolérance a causé de grands maux,* TELLES *les guerres de Religion et les violences révolutionnaires.* • Suivi de *que*, accord de *tel* avec ce qui PRÉCÈDE. Ex. : *J'aime les pierres de couleur,* TELLES QUE *le rubis et le saphir ; l'intolérance a causé de grands maux,* TELS QUE *les guerres,* etc. • Application de ces règles : *les grandes vedettes telles que Jean Gabin, Fernandel, Gérard Depardieu,* mais : *les grandes vedettes, tels Cary Grant, Greta Garbo, Romy Schneider.*

tenace adj., **ténacité** n. f. Acc. aigu au premier *e* du nom seulement.

tentacule n. MASCULIN. Noter le genre.

terme n. m. Ne pas confondre *au terme*, sing. (= à la fin) et *aux termes*, plur. (= selon les termes). Ex. : *au terme de mon contrat* (« à son expiration ») ; *aux termes de mon contrat* (« d'après ses dispositions »).

termite n. MASCULIN. Noter le genre.

timbre-poste n. m. Pluriel : *des timbres-poste* (= des timbres de LA Poste, pour LA Poste).

tintinnabuler v. tr. Noter l'*n* doublé.

toboggan n. m. Un seul *b*, deux *g*.

tohu-bohu n. m. Reste invar. au plur.

tord-boyaux n. m. Second élém. touj. au plur.

touche-à-tout n. m. INVAR. Deux tr. d'union. Ex. : *Ces jeunes filles sont des touche-à-tout !*

tout 1° Adj. (donc variable : *toute, tous, toutes*) : *de tout cœur, en toute hâte, à tous égards, toutes choses égales*. Adj., *tout* peut être : • adj. qualificatif, au sens de « entier », « complet » (*toute la nuit, tout l'or du monde, en faire toute une affaire, donner toute satisfaction ; Je la voyais toute...*) ; • adj. indéfini, au sens de « chaque », « n'importe quel(le) » et, au plur., de « la totalité de » (*à tout moment, en tout lieu, de toute façon, à tous égards, toutes proportions gardées...*).
2° Adv. (n'est pas touj. invariable, ce qui entraîne de nombreuses hésitations quant à la classification de *tout(e)* [adv. ou adj. ?] et à l'accord, surtout devant un nom au singulier). • Devant un adj. masc., *tout* adv. est TOUJOURS INVARIABLE : *Ils étaient tout mouillés, ils sont tout heureux*. Le sens de *tout* est ici « tout à fait, entièrement », qu'il faut bien distinguer de l'emploi pronom. ou adj. : *Ils sont tous mouillés* (= tous sont mouillés). • Devant un adj. fém. commençant par une voyelle ou par un *h* muet, *tout* adv. demeure invar. : *Elle est tout intimidée ; elles sont tout attristées ; elle est tout heureuse*. Lorsque l'adj. fém. commence par une consonne ou par un *h* aspiré, *tout* s'accorde en genre et en nombre : *Elle est toute honteuse ; elle était toute surprise ; elles sont toutes fatiguées ; elles sont toutes hautaines...* Au plur., ces formules sont ambiguës, car l'on peut comprendre que « toutes étaient

fatiguées », que « toutes étaient hautaines », aussi bien que :
« elles étaient complètement fatiguées », « elles étaient absolument hautaines ». Il convient donc d'exprimer très explicitement sa pensée en formulant le texte autrement, ou en rendant la phrase plus limpide par le contexte ! • Devant un nom au sing., accord ou invariabilité : *il est tout innocence* ou *toute innocence*, elle était *tout passivité* ou *toute passivité*.

tout-à-l'égout n. m. invar. *Des tout-à-l'égout.*

toute-puissance n. f. Avec tr. d'union. • De même pour *tout(e)-puissant(e)*, n. et adj. : *le tout-puissant ministre de la Sécurité ; les tout-puissants méprisent les problèmes des faibles* (*tout* demeure invar.) ; *les toutes-puissantes sociétés de transport* (au fém., *tout* varie en nombre). • *Le Tout-Puissant* (Dieu).

tout-petit n. m. Avec tr. d'union. Plur. : *les tout-petits* (*tout* invar.). • Mais sans tr. d'union : *un tout petit enfant.*

tradition n. f. Deux *n* à **traditionnaire, traditionnel** et **traditionnellement**, mais UN SEUL à **traditionalisme** et **traditionaliste**.

trafic n. m. Un seul *f*.

tragi-comédie n. f., **tragi-comique** adj. • Au plur. : *tragi-* reste invar. : *des tragi-comédies, des aventures tragi-comiques.* Ce sont des abrév. pour *tragico-comédies, tragico-comiques.*

traîner v. tr. et intr. Acc. circ. sur l'*i*. • Tous les dér. conservent l'acc. : **traînage, traînailler, traînant, traînard, traînasse.**

traître n. et adj. Fém. : *traîtresse* (« *Ah ! traîtresse ! Tu as répété mes confidences !* » ; *des paroles traîtresses*). Mais la forme masc. *traître* est aussi employée comme second féminin en des emplois moins « littéraires » : *Attention ! La couche de neige est traître ! ; Cette femme n'était pas traître à la patrie.*

trapèze n. m. Acc. grave, mais acc. aigu aux dér. : **trapéziste, trapézoïdal(e, aux)**...

trappe n. f. Deux *p*. *Idem* pour : **trappeur, trappiste**...

trapu(e) adj. Un seul *p*.

tréfonds n. m. *Le tréfonds de son âme.* Touj. avec *s* final.

trembloter v. intr. Un seul *t*.

très adv. Ne s'emploie pas devant un part. passé actif (« Il l'a très aimée »), mais est correct devant un part. passé passif, adjectivé (*Elle a été très aimée*).

trêve n. f. Acc. circ. (Mais : **Trèves**, en Allemagne.)

tricycle n. m. : *i* puis *y*.

tripe n. f. Un seul *p*. De même pour les dér. : **triperie, tripier(ère)** et **tripette** (*Ça ne vaut pas tripette !*).

tripoter v. tr. et v. intr. Un seul *t* après l'*o*.

triste adj. Attention à la place de cet adj. : le sens s'en trouve notablement modifié ! Un *personnage triste* exhale de la mélancolie ; un *triste personnage* inspire de la méfiance, du mépris ou du dégoût.

trombone n. m. 1° Instrument à vent ; 2° Personne qui en joue (on dit aussi *tromboniste*) ; 3° Attache métallique. Un seul *n*.

tubercule n. MASCULIN. Noter le genre.

turc adj. et (avec un T majusc.) n. pr. : *les Turcs*. Contr. à *grec(que)*, perd son *c* au fém. : *la politique turque*.

tyran n. m. Tous les dér. doublent l'*n* final : **tyranneau**, n. m. ; **tyrannie**, n. f. ; **tyranniser**, v. tr. ; **tyrannosaure**, n. m., etc.

U

unanime adj. Ne pas dire et écrire : « Ils sont tous unanimes », cette formulation étant pléonastique. Pour la même raison, on évitera des expr. comme : « décision prise à l'unanimité totale », « ils se levèrent tous unanimement », « tous à l'unanimité »...

unième adj. num. ord. On écrit sans tr. d'union : *vingt et unième, trente et unième...* ; exception : *quatre-vingt-unième*. (Sur le modèle de *vingt et un, trente et un... quatre-vingt-un.*)

urticaire n. FÉMININ : *une urticaire très cuisante*.

usine n. f. Avec tr. d'union : *bateau-usine, navire-usine* (plur. : *bateaux-usines, navires-usines*).

V

va ! 2e pers. du sing. de l'impératif du v. *aller*. Il n'y a pas d'*s* final. Mais on met un *s* d'euphonie quand cette forme verbale est suivie d'un *y* adv. de lieu : *Vas-y !* • S'emploie très souvent comme interj. exprimant un encouragement, marquant la sympathie : *Ce n'est rien, va !* ; *Tu arriveras bien à surmonter cette difficulté, va !* Forme hom. du v. *aller* : *tu vas, il va* (prés. de l'ind.). • On écrit : *Va-t'en !* (le *t*, précédé d'un tr. d'union est suivi d'une apostrophe remplaçant l'*e* élidé du pron. pers. *te*). • On écrit traditionnellement *À Dieu vat !* (sans tr. d'union et avec un *t* final, que l'on fait souvent entendre). Mais l'orthogr. évolue, et des dict. contemporains acceptent aussi : *à Dieu va !*, *à-Dieu-va(t) !*

va-et-vient n. m. INVAR. Deux tr. d'union : *Il effectuait d'incessants va-et-vient, des mouvements de va-et-vient.*

valse-hésitation n. f. Plur. : *des valses-hésitations* (= il y a à chaque fois une valse et une hésitation, donc, au plur., plusieurs valses et plusieurs hésitations...).

va-nu-pieds n. invar. *C'est une va-nu-pieds ! Deux va-nu-pieds.*

varech n. m. On prononce « va-rek ».

variété n. f. Touj. au plur. dans : *un artiste de variétés, un spectacle de variétés...*

va-tout n. m. invar. : *Ils ont joué leur va-tout* ; *des va-tout.*

va-vite (à la) loc. adv. Prend un tr. d'union.

velléité n. f., **velléitaire** n. et adj. Noter l'acc. aigu sur le second *e*. Pas de tréma sur l'*i*.

vélo n. m. On doit dire : *aller à vélo*, et non « en vélo » (le cycliste n'est pas dedans, comme dans une voiture).

vénézuélien(ne) adj. S'écrit avec trois *é*, à la différence du n. pr. *Venezuela* : *les villages vénézuéliens, les radios vénézuéliennes.* • Avec une majusc. quand il s'agit du n. pr. (= habitants, originaires du Venezuela) : *deux Vénézuéliens, de belles Vénézuéliennes.*

vents Les noms de vents sont des n. communs, qui s'écrivent donc avec une minusc. : *le mistral, la tramontane, le simoun, le* *sirocco...*, sauf quand le vent est personnifié (mythologie, légendes, poésie) : *l'Aquilon, Zéphyr [le]...*

verglas n. m. Attention : les dérivés s'écrivent avec un *c* ! Ainsi : **verglacé(e)**, adj. ; **verglacer**, v. impers.

verni(e) adj. (de *vernir*) : *un meuble verni* ; *des chaussures vernies* ; n. : *C'est un petit verni !* • **vernis** (avec un *s* final), n. m. (enduit) : *passer une couche de vernis.*

verroterie n. f. Deux *r*, mais un seul *t*.

verrou n. m. Plur. : *des verrous.*

verse (à) loc. adv. Écrire : *Il pleut à verse* (et non : « à verses », ni « averse »).

vert n. m. *Des verts criards.* Adj. : *des pommes vertes.* • L'adj. est invar. quand il est nuancé par un adj. (*des robes vert foncé*) ou par un nom (*des jupes vert émeraude* ; *une tapisserie vert jade...*). On ne met pas de tr. d'union. • L'adj. est toujours invar. quand il est associé à un autre adj. de couleur, auquel il est lié par un tr. d'union : *des gabardines vert-gris, des pantalons vert-bleu.*

vert-de-gris n. m. Carbonate de cuivre. • Adj. invar. de couleur : *des treillis vert-de-gris.* • L'adj. *vert-de-grisé(e)* s'applique à ce qui est couvert de vert-de-gris : *des bassines vert-de-grisées* (le dernier élém. s'accorde).

veto n. m. invar. Pas d'acc. aigu. • « Opposer son veto » est condamné comme pléonasme par la quasi-totalité des lexicographes, puisque *veto* signifie : « je m'oppose ». On dira donc : *mettre son veto, opposer son droit de veto.* • Hom. : **véto**, n. (abrév. fam. pour *vétérinaire*).

vice- Les n. comp. avec *vice-* s'écrivent avec un tr. d'union, et seul le second élément s'accorde : *des vice-amiraux, des vice-chanceliers, des vice-consuls, des vice-consulats, des vice-légats, des vice-légations, des vice-présidences, des vice-présidents, des vice-recteurs, des vice-rois, des vice-royautés.*

vice versa loc. adv. Sans tr. d'union. Ne pas écrire, sous l'influence de la prononciation, « vice et versa ».

vicissitude n. f. S'emploie surtout au plur. (*les vicissitudes de la vie*). Noter l'ordre : *c* puis *ss*.

vide- Cette forme conjuguée du v. *vider* entre comme premier élém. (invar.) dans la composition de plusieurs mots masc. : *vide-*

bouteille (plur. : *vide-bouteilles*), *vide-cave* (invar.), *vide-gousset* (plur. : *vide-goussets*), *vide-ordures* (invar.), *vide-poches* (invar.)...

vidéo n. f. Aussi adj. invar. : *des cars vidéo, des jeux vidéo*...

vidéo- Élément préfixal, se colle aux mots auxquels il est associé (*vidéocâble*, n. m. ; *vidéocassette*, n. f. ; *vidéoclip*, n. m. ; *vidéoclub*, n. m. ; *vidéocommunication*, n. f. ; *vidéoconférence*, n. f. ; *vidéodisque*, n. m. ; *vidéofréquence*, n. f. ; *vidéogramme*, n. m...).

vieux adj. Fait **vieille** au fém. • *Vieux* se mue en **vieil** devant un subst. masc. commençant par une voyelle ou un *h* muet, à condition de le précéder directement : *un vieil horticulteur, un vieil imbécile, un vieil habit, un vieil artisan*... S'il n'y a pas contact entre les deux mots, la forme *vieux* est conservée : *un vieux et habile artisan.*

ville n. f. Les n. comp. fém. *ville-champignon, ville-dortoir, ville-satellite* prennent le double plur. : *des villes-champignons*, etc.

vingt adj. num. card., adj. num. ord. et n. m. • Le *t* est muet devant un *h* aspiré et devant les consonnes, sauf dans *vingt-deux, vingt-trois*... jusqu'à *vingt-neuf* inclus. Il se prononce devant les mots commençant par une voyelle ou par un *h* muet : *vingt hommes, vingt arbres*, mais l'usage est parfois hésitant, par exemple devant des noms de mois (20 avril : « vintavril » ou « vin-avril » ; 20 août : « vin-tou » ou « vin-ou ») ; l'usage est également flottant devant une épithète précédant un substantif (*vingt étranges convives*), mais on devrait faire la liaison, ainsi que devant un attribut (*sur ces quelque cent projets, il y en a vingt acceptables*) ; alors que dans la pratique le *t* est le plus souvent muet. • Pas de tr. d'union quand *vingt* est suivi de *et* : *vingt et un* (mais : *vingt-deux, quatre-vingt-trois*...). *Vingt* prend un *s* dans *les Quinze-Vingts* et dans *quatre-vingts*, mais reste invar. quand il est suivi d'un autre adj. num. cardinal : *quatre-vingt-deux, quatre-vingt-dix-sept*... • Non multiplié par quatre *(quatre-vingts)*, *vingt* demeure invar. quand il est précédé de *cent* ou de *mille* : *deux cent vingt hommes, trois mille vingt francs* (mais : *deux cent quatre-vingts francs*...). • Lorsqu'il est adj. num. ORDINAL, *vingt* est invar. : *la page quatre-vingt* (= la quatre-vingtième page), *en l'an de grâce mil sept cent quatre-vingt.*

viscère n. MASCULIN. Adj. correspondant : **viscéral(e, aux).**

vitrail n. m. Plur. : *vitraux.*

vivat n. m. *Pousser des vivats* (ne pas écrire : « viva[s] »).

vivoter v. intr. Un seul *t*.

vizir n. m. Avec un *z*. Pas de tr. d'union à : *grand vizir*.

voici prép. et adv. 1° Annonce ce que l'on va dire (« *Voici les noms des heureux lauréats : Pierre Duval, Jacques Dupuis et Paul Dubois !* ») ; 2° Désigne, de deux ou plusieurs personnes ou objets, celui qui est le plus proche (« *Voici la Maison de la Radio ; voilà, de l'autre côté de la Seine, BeauGrenelle... »*). • Devant un infinitif, on emploie *voici* (et non *voilà*) : *Voici venir le roi...* • Il est incorrect de dire : « le voici qu'il vient » ; il faut dire : *voici qu'il vient*, ou bien : *le voici qui vient*. • Voir aussi à *voilà*.

voie n. f. Direction, route, chemin. • Ne pas confondre avec son hom. **voix**, n. f. (*une voix de ténor*). • Au sing. dans : *être en bonne voie* ; *être en voie de réussite*.

voilà prép. et adv. 1° Renvoie à ce qui vient d'être dit (« *C'est ma belle-mère qui m'a empoisonné !* » : *voilà ses derniers mots...*) ; 2° Renvoie à la personne ou à la chose la plus éloignée (*Nous voici donc à la gare, et voilà le train, qui en est encore à cinq cents mètres*). • Contr. à *cela*, *voilà* a un acc. grave sur l'*a*.

voire adv. Marque le doute : « *Ce journaliste serait un bon professionnel ?... Voire !* » • Le sens le plus usuel est « et même » : *On a relevé ces inexactitudes chez des écrivains médiocres, voire chez d'honnêtes auteurs.* • L'expr. *voire même* – sous l'influence de l'acception moderne de *voire* – a été condamnée comme pléonasme. Auj., les grammairiens reconnaissent que cette condamnation était excessive ; en effet, *voire même* n'est pas un pléonasme si l'on considère l'étymologie, mais c'est un archaïsme devenu une redondance bénigne...

voirie n. f. Pas d'*e* devant le *r*.

voiture n. f. Les deux éléments des mots comp. *voiture-bar, voiture-lit, voiture-restaurant, voiture-salon* prennent la marque du plur. : *des voitures-bars, des voitures-restaurants...*

volatil adj. Fém. : *volatile*. Ex. : *Un produit très volatil.* • Hom. **volatile**, n. MASC (touj. avec *e* final) : *La pintade est un volatile originaire d'Afrique.*

vol-au-vent n. m. invar. Deux tr. d'union. *Servir des vol-au-vent en entrée* ; *des vol-au-vent financière.*

volée n. f. Touj. au sing. dans : *à toute volée, de volée.*

volte-face n. f. invar. *Faire volte-face, des volte-face.*

volute n. FÉMININ. *Les volutes bleutées de la fumée de cigare.*

vomir v. tr. *Vomir son petit déjeuner.* Pas d'acc. circ. sur l'*o*. De même pour : **vomi** (ne pas écrire « vomis »), n. m. ; **vomique**, adj. et n. f. ; **vomiquier**, n. m.

vote n. m. On écrit : *vote(s) à main levée* (au sing. : chacun levant UNE main) ; *vote(s) par acclamation* (au sing. : en acclamant).

votre adj. poss. Plur. : *vos*. Pas d'acc. circ. sur l'*o* : *Votre jardin est superbe !*

vôtre 1° Pron. poss. (*Mon étude est restreinte ; la vôtre est exhaustive*) ; plur. : *vôtres* (*Les vôtres sont plus grands que les miens*). 2° Adj. poss. touj. employé comme attribut, sans art. devant : *Considérez cette maison comme vôtre* ; *à compter de ce jour, ces archives sont vôtres* (ces emplois appartiennent à la langue soutenue, voire littéraire). 3° N. m. plur. (certains grammairiens considèrent que le mot est touj. pron. poss. dans ce cas) : *les vôtres* (vos parents, vos proches, vos amis...). • Expr. avec *vôtre(s)* : *Vous avez encore fait des vôtres !* (= des bêtises, des sottises, des folies...) ; *Heureusement que vous y avez mis du vôtre !* ; *Bien vôtre(s)*, formule de fin de lettre.

voûte n. f. Acc. circ., que l'on retrouve dans **voûté(e)**, adj. ; **voûter**, v. tr. et pronom.

voyou n. m. Plur. : *des voyous*. • Également adj. : *des airs voyous*. • L'emploi d'un fém. *voyoute* (voire *voyouse*) est controversé, aussi bien comme subst. que comme adj.

vraisemblable adj. et n. m. Un seul *s*, qui se prononce « ss ».

vrombir v. intr., **vrombissement** n. m. Ne pas commettre de barbarismes en écrivant « vombrir », « vombrissement ».

vue n. f. Au sing. dans : *à vue d'œil, à vue de nez, à perte de vue, la garde à vue, à première vue, perdre de vue, tirer à vue, avoir en vue, des personnes en vue, un effet à vue, payable à vue, un point de vue (des points de vue)*. • Au plur. : *une unité de vues, une convergence de vues, une hauteur de vues, une profondeur de vues...* • *Au (du) point de vue* : loc. licite quand elle est suivie d'un adj. (*au point de vue pécuniaire* ; *du point de vue français...*), mais fautive devant un subst. (« *Du point de vue propreté...* »). Le subst. doit être précédé de *de* pour que l'expr. soit de bon aloi (*Du point de vue de la propreté...*).

W

wagon n. m. Étant complètement francisé, le mot, quoique d'origine anglaise, se prononce « vagon ». • En principe, il ne devrait pas être employé pour désigner les *voitures* (terme utilisé par la SNCF) occupées par des voyageurs, mais réservé aux véhicules destinés au transport des marchandises. • Dans le langage usuel, on dit couramment : *wagon-bar, wagon-lit, wagon-restaurant* et *wagon-salon*, mais on devrait donc touj. dire : *voiture-bar, voiture-lit*, etc. L'expr. « wagon de marchandises » est donc, en toute rigueur, un pléonasme... Quand il s'agit du véhicule servant au transport des bagages, le terme précis est *fourgon*. • Les deux éléments des n. comp. avec *wagon* prennent la marque du plur. : *un wagon-citerne, des wagons-citernes*, de même pour : *wagon-bar, wagon-écurie, wagon-foudre, wagon-lit, wagon-réservoir, wagon-restaurant, wagon-salon, wagon-tombereau, wagon-trémie*. • Exception : *wagon-poste*, dont le plur. est analogue à celui de *timbre-poste* ; il s'agit de wagons réservés à l'usage de LA Poste, d'où le plur. : *des wagons-poste*. • Les dérivés de *wagon* doublent l'*n* : **wagonnage, wagonnée, wagonnet, wagonnier** et **enwagonneuse.**

walkman n. m. (nom déposé). Lecteur de cassettes et/ou récepteur de radio. Plur. : *walkmans*. • L'équivalent français *baladeur* (un *l*) s'est imposé contre cet anglicisme.

walkyrie n. f. Autre graphie : *valkyrie*, qui est moins usuelle.

wallon n. pr. (en ce cas, prend une majusc.) et adj. : *Les Wallons sont francophones ; les villages wallons*. • Le fém. est : **wallonne** (*les populations wallonnes ; deux belles Wallonnes*), avec deux *n*. On prononce « oua-lon(ne) ». • Le *n* n'est pas doublé dans le n. pr. **Wallonie**, ni dans le n. m. **wallonisme.**

water-closet n. m. Lieux d'aisances, cabinets. Plur. : *les water-closets*. • On abrège souvent en *waters*, n. m. plur. (même sous la forme complète, on emploie presque touj. le plur. : *Où sont les water-closets ?*). On prononce : « oua-tèr ». • On abrège aussi en : *W.-C.* (mais dans ce cas le *W* est prononcé « v » – les « vé-cé », les « double vé-cé » –, alors que personne, ou presque, ne dit « va-tèr ».

watt n. m. (du n. pr. *Watt*). Unité de mesure de puissance (symbole : *W* [sans point]). Plur. : *watts*.

week-end n. m. Plur. : *week-ends*.

western n. m. Plur. : *westerns*. Prononcer : « ouestern ». • Le mot est aussi un adj. invar. : *La mentalité western des Texans*. • On écrit, avec un tr. d'union : *un western-spaghetti* (double plur. : *des westerns-spaghettis*), où *spaghetti* signifie « italien ».

whisky n. m. Plur. : *whiskies*, ou, « à la française », *whiskys*. • La graphie *whiskey* (avec plur. usité *whiskeys*) est licite quand on veut préciser qu'il s'agit du whisky irlandais. Donc, « whiskey irlandais » est un pléonasme.

white-spirit n. m. (anglicisme). Produit pétrolier servant à diluer les peintures. Auj., la quasi-totalité des dict. mettent un tr. d'union. Plur. : *des white-spirits*. On prononce, usuellement, « ouaillt'-spirit' ».

X, Y, Z

x Seuls noms en *ou* prenant un *x* au pluriel : *bijou, caillou, chou, genou, hibou, joujou, pou...* et *ripou* (que l'on écrit, aussi, au pluriel : *ripous*, graphie qui correspond mieux à « pourris »).

xyl(o)- Noter le groupe *xy* dans les mots formés sur le grec *xulon*, « bois » : *xylographie, xylophage, xylophone...*

y pron. pers., remplace souvent « à lui », « à elle », « à eux », « à elles », « à cela ». Quand il s'agit d'un nom de chose, d'idée ou d'animal, l'emploi est fréquent et licite ; quand il s'agit d'une personne (voire d'une allégorie personnifiée), il est en principe plus correct – aux yeux des « puristes » – d'utiliser « à lui », « à elle »..., mais on peut recourir à *y* si cela permet d'éviter la répétition du pron.
• Quand *y*, adv. de lieu (« en cet endroit », « là »), précède une forme verbale commençant par un *i*, on le supprime, quoique licite, pour éviter un hiatus. Le cas le plus fréquent se produit avec le v. *aller* au futur et au conditionnel : *j'irai, nous irons* (et non « j'y irai », « nous y irons »).

• Après une terminaison, une désinence, en *e* ou en *a* de la 2e pers. du sing. de l'impératif, *y* entraîne un *s* final d'euphonie à cette forme verbale : *penses-y !, restes-y !, vas-y !* Mais on n'ajoute pas d'*s* et on ne met pas de tr. d'union lorsqu'un v. à l'infinitif suit cet impératif : *Va y faire un tour !* (Voir *aller*).
• À l'impératif, *y* se place APRÈS le pron. compl. : *Attendez-vous-y !* ; *Mène-nous-y !*, et non devant (« Attendez-y-vous ! », « Mènes-y-nous ! »). Noter les deux tr. d'union.

yaourt n. m. Graphies moins usuelles : *yoghourt* et *yogourt*.

y compris Cette expr. est invar. quand elle est placée prépositivement en tête de phrase : *y compris les dépenses pour l'hébergement* ; autrement, elle s'accorde : *ces femmes y comprises*.

yen n. m. Monnaie japonaise. Plur. : *des yens*. Pas d'élision de l'article : *le yen*.

yé-yé n. et adj. invar. *Une yé-yé, des yé-yé, un chanteur yé-yé, des adolescents yé-yé...* • On voit parfois la graphie sans tr. d'union : *un yéyé, des chanteuses yéyé*.

yiddish n. m. et adj. Utilisé couramment pour « judéo-allemand ». Le n. désigne la langue germanique des communautés juives d'Europe centrale et orientale : *parler le yiddish*. • Adj., le mot est invar. en genre et en nombre : *des journaux yiddish, la presse yiddish*.

yoga n. m. Discipline spirituelle et corporelle d'origine indienne. Pas d'élision : *pratiquer le yoga*.

yogi n. m. Celui qui pratique le yoga. • On a parfois vu la graphie *yogin*, n. m. • On prononce comme s'il y avait un *u* derrière le *g* : « yo-gui ». • Pluriel « à la française », avec un *s* final : *des yogis*.

yoghourt ou **yogourt** Voir *yaourt*.

zapper v. intr. Deux *p*, comme **zappeur(euse)**, n., et **zapping**, n. m.

zazou(e) n. et adj. Accord en genre et en nombre dans tous les emplois : *trois zazous, des costumes zazous, des allures zazoues, Sylvie et Véronique sont deux zazoues !*

zèbre n. m. Acc. grave, alors que l'adj. **zébré(e)** a un acc. aigu sur l'*e* qui suit le *z*.

zèle n. m. Acc. grave, tandis que l'adj. **zélé(e)** a un acc. aigu sur ses deux *e*.

zen n. m. et adj. inv. Désigne une secte bouddhiste et sa doctrine. *Ils sont zen !*

zénith n. m. Ne pas omettre l'*h*, qui subsiste dans les dérivés.

zéphyr n. m. Une seule orthogr. de nos jours, quelle que soit l'acception (vent, tissu, printemps).

zeppelin n. m. Ballon dirigeable. Pas d'acc. aigu sur le premier *e*. Plur. : *zeppelins.*

zéro n. m. et adj. En ce dernier emploi, est syn. de : 1° mauvais, nul (*Il est zéro, ce film !*) ; 2° aucun(e) (*Ça m'a coûté zéro euro*). • Il faut dire : *partir, repartir de zéro*, et non « partir, repartir à zéro ». C'est le seul chiffre qui soit variable en nombre, en tant que nom commun : *tracer des zéros sur le tableau* ; *collectionner les zéros en histoire* ; *ces types, ce sont des zéros !*

zeste n. m. Ne pas oublier l'*e* final (*le zeste de deux citrons*).

zézaiement n. m. Un *i* – et non un *y* comme dans **zézayer**, v. tr. et intr.

zig, zigue n. m. Deux graphies licites pour ce syn. de « type, individu ».

zigzag n. m. S'écrit en un seul mot. Plur. : *des zigzags.* • Dans l'expr. *en zigzag*, le mot est figé au sing. : *une route en zigzag, marcher en zigzag.* • Le part. prés. du v. intr. **zigzaguer** prend un *u* (*ils partirent en **zigzaguant***), contr. à l'adj. **zigzagant(e)**.

zinc n. m. Se prononce « zingue ». • Les dér. sont formés tantôt sur *zinc* (**zincate**), tantôt sur *zing-* (**zingage**) ou *zingu-* (**zingueur**). • Adj. invar. de couleur : *des survêtements zinc.*

zinzin n. m. (fam.). Objet quelconque. • Adj. (et aussi n.) : fou, fêlé, dingue... L'adj. peut s'accorder en nombre (*mes cousins sont zinzins*), mais non en genre (*ces filles sont zinzins*).

zippé(e) adj. (du n. pr. *Zip*). Qualifie un objet, un vêtement munis d'une fermeture à glissière. Noter les deux *p*.

zona n. m. Pas d'acc. circ. sur l'*o*. Plur. : *zonas.*

zone n. f. Pas d'acc. circ. sur l'*o* (bien que le mot se prononce « zaune ». *Idem* pour les dérivés (**zonage, zonard**...).

zozoter v. intr. Un seul *t*.

zygoma n. m. Apophyse de l'os temporal. Pas d'acc. circ. sur l'*o*. *Idem* pour l'adj. : **zygomatique**.

642

Composition PCA - 44400 Rezé
Achevé d'imprimer en France (Ligugé) par Aubin
en mai 2008 pour le compte de E.J.L.
87, quai Panhard-et-Levassor, 75013 Paris
EAN 9782290340943
Dépôt légal mai 2008
1er dépôt légal dans la collection : juin 2004

Diffusion France et étranger : Flammarion